Fjodor M. Dostojewskij

Worte wie Spiegel

Fjodor M. Dostojewskij

Worte wie Spiegel

Ausgewählt, eingeleitet und erläutert von
Rudolf Stertenbrink

Herder

Freiburg · Basel · Wien

Herausgeber und Verlag danken dem R. Piper & Co. Verlag, München – Zürich, für die freundlich erteilte Abdruckerlaubnis der deutschen Übersetzung der Texte Dostojewskijs.

Bild auf Einband: Diamant aus Jakutien
(Foto Gende-Rote, Fotokhronika Tass, Moskau)

3. Auflage

Herstellung: Freiburger Graphische Betriebe 1985
ISBN 3-451-20025-2

Inhalt

Hinführung

Die Literatur – das ist ein Bild,
das heißt in gewissem Sinne, versteht sich;
ein Bild und ein Spiegel;
ein Spiegel der Leidenschaften
und aller inneren Dinge;
sie ist Belehrung und Erbauung zugleich,
ist Kritik und ein großes
menschliches Dokument. (AL 81)

Dostojewskijs Interesse für Literatur reicht in seine frühen Jugendjahre zurück. In ihr suchte er jenen inneren Halt, der ihm weder von seiner Anlage her noch von seiner Erziehung gegeben war. Wohl hatte er den einen oder anderen Freund, doch meist lebte er zurückgezogen. Nur seinem Bruder Michail gegenüber, von dem er auch später in verschiedenen Notsituationen immer wieder Hilfe erfuhr, zeigte er eine unmittelbare Offenheit. Für sein späteres Schaffen war der Einfluß dreier russischer Schriftsteller entscheidend: Karamsin, Puschkin und Gogol. Da bereits der junge Dostojewskij das Französische wie seine Muttersprache beherrschte, las er ausländische Literatur hauptsächlich in französischen Übersetzungen. Bereits im Alter von achtzehn Jahren waren ihm Walter Scott, Balzac, Shakespeare, E. T. A. Hoffmann, Homer, Victor Hugo, Corneille und Racine, Goethe und Schiller vertraut.

Als der Dreiundzwanzigjährige die Armee im Rang eines Leutnants „aus gesundheitlichen Gründen" verließ, machte er sich mit hektischer Verbissenheit an sein eigenes Werk. Im Anschluß an verschiedene Übersetzungen erreichte er nach über einjähriger anstrengender Arbeit mit seinem Roman „Arme Leute" seinen ersten Erfolg. Als der berühmteste Literaturkritiker jener Zeit, Belinskij, das Manuskript gelesen hatte, lud er den Verfasser zu sich ein und erklärte ihm begeistert: „Ahnen Sie eigentlich selbst, was Sie da geschrieben haben? Ihrem Auge hat sich die Wahrheit entschleiert, und der Künstler in ihnen empfing göttliche Eingebung. Bleiben Sie Ihrer Berufung treu, und Sie werden ein großer Dichter werden."
Dostojewskij blieb sich treu; doch der Weg zu seiner Größe sollte anders verlaufen, als er es sich hatte vorstellen können. Den erreichten Höhen folgten nur wenige Jahre später dunkelste Tiefen. Als Anhänger eines revolutionären Kreises war Dostojewskij zum Tod durch Erschießung verurteilt worden. Buchstäblich in letzter Minute (die Verurteilten standen bereits, mit weißen Totenhemden bekleidet, auf dem Hinrichtungsplatz) wurde das Todesurteil in eine zehnjährige sibirische Verbannung umgewandelt. Davon hatte er vier Jahre unter härtesten Bedingungen im Zuchthaus von Omsk zu durchleiden. Vor dem Abtransport schrieb der Sträfling seinem Bruder aus der „Peter-Pauls-Festung" in Petersburg: „Nun kannst Du, was mich betrifft, ruhiger sein, Bruder! Ich bin nicht verzweifelt und habe den Mut nicht verloren. Leben gibt es überall, das Leben ist

in uns selbst, nicht außer uns. Ich werde von Menschen umgeben sein, werde unter ihnen Mensch sein und es immer bleiben. Sich vom Unglück nicht beugen, nicht umwerfen lassen, was auch immer geschehe, das nenne ich Leben, das ist die Aufgabe unseres Daseins" (GB 77).
Über diese Leidenszeit urteilt E. K. Rahsin, der zu den besten Dostojewskij-Kennern zählt: „Überschaut man heute das Gesamtwerk des Dichters, so will einem der Schicksalsschlag, der ihn auf ein ganzes Jahrzehnt nach Sibirien warf, als ein einzigartiger Griff der Vorsehung erscheinen" (TH 849). In diesen Jahren seelischer Vereinsamung unterzog Dostojewskij sein ganzes bisheriges Leben einer genauen Durchsicht. Er versenkte sich in seine Vergangenheit und hielt über sich ein unbarmherziges Gericht. Zuweilen segnete er sogar sein Schicksal dafür, daß es ihm diese Vereinsamung schenkte, ohne die er keine Klarheit über sich selbst gefunden hätte.
Die zehn sibirischen Verbannungsjahre teilen das künstlerische Schaffen Dostojewskijs in zwei Perioden, die sich trotz aller Bezüge zwischen seinem Früh- und Spätwerk grundlegend voneinander unterscheiden. Tiefer als zuvor war Dostojewskij in diesen Jahren „dem Menschen im Menschen" begegnet. Deutlicher als früher wurde er sich in Omsk bewußt, daß jeder Mensch der Gefangene seiner selbst ist, der Gefangene seiner finsteren Wünsche und Regungen, seines Egoismus und seiner inneren Widersprüche, seiner moralischen Schwäche und Schuld, seiner Stimmungen und Ängste, seiner dunklen Leidenschaften; der Gefangene seiner Einsamkeit, seiner Sehnsüchte, Illusionen und Träume, seiner

vielfältigen Leiden, seines Unglaubens und seines Todes. Es ging ihm auf, daß das Gefangensein die Grundsituation eines jeden Menschen ist: Jeder Mensch ist ein „homo captivus". Mit dieser Erfahrung stand er vor der Frage, wer den Menschen aus dieser Unheilssituation befreien könne. Er war sich gewiß, daß die Befreiung nur durch einen vermittelt werden kann, der mehr ist als ein gewöhnlicher Mensch. Auf diese Weise fand Dostojewskij zu Jesus Christus, der „einzigen positiv-schönen Gestalt" in dieser Welt. Sie allein erhellt das Dasein des Menschen; denn sie allein ist „das geistige Licht, das die Seele erleuchtet, im Herzen Klarheit schafft, den Geist lenkt und ihm den Weg des Lebens weist" (TB 510). Mit dieser einzigartigen Erscheinung war Dostojewskij durch das Neue Testament in Berührung gekommen, das einzige Buch, das er während der vier Jahre im „Ostrogg" bei sich haben durfte.
Diesem Christus fühlte sich der Dichter fortan zutiefst verbunden. In den „Lichtgestalten" seiner großen Romane versuchte er immer wieder neu, den Geist Jesu Christi aufleuchten zu lassen. Durch sie findet das Licht den Weg in die finsteren Herzen ihrer Umgebung. Meist geschieht es nicht durch außergewöhnliche Taten, sondern durch das einfache Tun der Wahrheit und der Liebe, die auch das Leid auf sich nimmt, es erhellt und so erlöst. Alle diese „Lichtgestalten" sind große Verstehende, die von jedem Menschen etwas halten und selbst den Geringsten nicht abschreiben. Obwohl ihr Vertrauen häufig mißbraucht wird, sehen sie keinen Grund, es nicht erneut zu schenken. Aufgrund ihrer

milden Kraft verwandeln sie nahezu alle, mit denen sie
zusammenkommen. Wenn auch
wird in ihnen das Gute lebendig.
lem die „Lichtgestalten", durch di
Überzeugung Ausdruck verlieh,
menschlichen Behandlung auch
schen machen kann, in denen sel
von Gott bereits erloschen ist" (T
Auf die Ursprünglichkeit seiner
größten Wert gelegt. Sie erwuchs au
lichen Spürsinn für die Tiefe der
mit ihren vielfältigen Regungen.
Unergründliche übten nahezu ei
hungskraft auf ihn aus. Weil er
einzelnen glaubte und sich zu
konnte, war es ihm möglich, alle
Wie weit diese Liebe reichte, schild
Grigorjewna in ihren „Erinnerunge
gewöhnlichen Spaziergänge wurde e
kenen niedergeschlagen. Auf dem K
man möge den Verhafteten freila
zeihe" ihm. Dennoch bekam Dostoj
später eine Gerichtsvorladung. Erne
Bestrafung abzusehen. Der Richte
Bitte, verurteilte aber den Übeltäter
Störung der öffentlichen Ordnung"
sechzehn Rubel oder viertägiger Gefängnishaft. Darauf-
hin wartete Dostojewskij vor dem Gefängnistor auf sei-
nen Beleidiger und gab ihm die sechzehn Rubel zur
Bezahlung seiner Strafe.

IESE PLASTIK AUS EBENHOLZ mit
er Darstellung einer afrikanischen
roßfamilie ist neben vielen anderen
erken in einer Ausstellung zu sehen,
ie mit Tapisserien von Bernd Zep-
enfeld und Keramiken von Gisela
icken am 2. Mai in der Remise der
urg Vischering eröffnet wird.

Auf gr
was da

Na
d

Lüdi
Naturfr
einer Z
problem
mund-E
hausen
chen Ei
hausen
feld sin
getroffe
Ridder
unterstü
serfläch
Landt
den Kr
sche ur
schaft f
entschei
Elfering
daß es l
tung de

I

Der Mensch ist ein Geheimnis

1. Die menschliche Seele bleibt ein Rätsel

Sein ganzes Leben war Dostojewskij damit beschäftigt, das Geheimnis der menschlichen Seele zu enträtseln. Dabei galt sein Bemühen der Entdeckung des „Menschen im Menschen". Auf diese Weise hoffte er, selbst ein Mensch zu werden und seinen Lesern den Weg zur wahren Humanität zu weisen. Daß ihm dies gelungen war, durfte er wenige Monate vor seinem Tod in einer für ihn tief beeindruckenden Weise erfahren. Damals war er nach Moskau gereist, um an der Enthüllung eines Denkmales seines großen Lehrers Puschkin teilzunehmen. In der Pause eines anschließenden Festaktes stürzte eine Unmenge Menschen auf ihn zu und erklärte ihm: „Durch Sie sind wir bessere Menschen geworden" (GB 491).

Bei all seinem Bemühen, die Tiefen der Menschenseele aufzudecken, blieb sich Dostojewskij jedoch immer bewußt, daß der Mensch ein Rätsel ist, das selbst nach langen Jahren beständigen Zusammenseins nicht gelöst werden kann. Den Grund dafür erkannte er u. a. in den unermeßlichen zahlreichen, verschiedenartigen und komplizierten Beweggründen der menschlichen Handlungen sowie in den zahlreichen und verborgenen Verzweigungen des menschlichen Lebens. Daher bleibt das vielleicht Wichtigste, das sich in den unzugänglichen Tiefen der menschlichen Seele zurückhält, zwangsläufig ungesagt und ungeklärt.

Der Mensch ist ein Geheimnis. Man muß es enträtseln, und wenn Du es ein ganzes Leben lang enträtseln wirst, so sage nicht, Du hättest die Zeit verloren. Ich beschäftige mich mit diesem Geheimnis, denn ich will ein Mensch sein. GB 24

Ja, es ist sehr schwer, einen Menschen von Grund aus kennenzulernen; selbst lange Jahre beständigen Zusammenseins genügen nicht einmal dazu!

TH 117

Bei vollständigem Realismus im Menschen den Menschen finden [...] Man nennt mich einen Psychologen. Das ist nicht richtig. Ich bin nur ein Realist im höheren Sinne, das heißt: Ich zeige alle Tiefen der Menschenseele. TB 618 f

Bei jedem genialen oder neuen Menschengedanken oder einfach sogar bei jedem ernsten Gedanken, der in einem Menschenkopf entsteht, bleibt immer ein Etwas zurück, das sich auf keine Weise anderen Menschen mitteilen läßt, und wenn man auch ganze Bände vollschriebe und seinen Gedanken fünfunddreißig Jahre lang auseinandersetzte; immer verbleibt etwas, das um keinen Preis aus Ihrem Schädel herausgehen will und ewig in ihm zurückbleibt; und damit stirbt man dann, ohne auch nur einem einzigen anderen Menschen das vielleicht Wichtigste an seiner Idee übergeben zu können. I 606 f

Vergessen wir nicht, daß die Beweggründe der menschlichen Handlungen gewöhnlich unermeßlich zahlreicher, komplizierter und verschiedenartiger sind, als wir sie nachher immer erklären, und daß sie sich selten eindeutig kundtun. Für den Erzähler ist es manchmal das Beste, sich mit der einfachen Darlegung der Ereignisse zu begnügen. I 738

Ich glaube, es gibt Gesichter, die jedesmal, wenn sie auftauchen, wieder etwas Neues mitbringen, etwas, das man bis dahin noch nicht an ihnen bemerkt hat, auch wenn man ihnen hundertmal begegnet ist. D 245

Merke dir, photographische Aufnahmen sind sehr selten ähnlich, und das ist leicht zu erklären: das Original, das heißt, ein jeder von uns, ist ja auch im Leben nur äußerst selten sich selber ähnlich. Das Gesicht eines Menschen zeigt seinen wesentlichsten Zug, seinen kennzeichnendsten Gedanken eben nur ausnahmsweise in Augenblikken. Der Künstler studiert das Gesicht, das er malen soll, und erhascht diesen eigentlichen Ausdruck des Gesichts, er errät sozusagen den Hauptgedanken des Menschen und gibt ihn im Bilde wieder, auch wenn das Gesicht des Betreffenden diesen Ausdruck während des Modellsitzens zumeist gar nicht hat. Die Photographie aber gibt den Menschen genau so wieder, wie er in dem einen Augenblick der Aufnahme aussieht, und da ist es nicht ausgeschlossen, daß zum Beispiel Napoleon, in einem zufälligen Augenblick photographiert, auf der Photographie dumm aussehen könnte, und Bismarck sanftmütig. J 702 f.

Die Menschen sind einsam auf Erden – das ist das Unglück! S 715

Einen vollkommen harmonischen Menschen gibt es fast überhaupt nicht; unter Zehntausenden, vielleicht aber auch unter vielen Hunderttausenden findet man je einen, und selbst die noch in ziemlich schwachen Exemplaren. RR 302

Es ist erstaunlich, wie viele nebensächliche Gedanken in einem auftauchen können, gerade wenn man durch irgendeine furchtbare Nachricht ganz erschüttert ist, die, wie man eigentlich meinen sollte, alle anderen Gefühle ersticken und alle nebensächlichen Gedanken verscheuchen müßte, besonders die kleinlichen – aber gerade diese sind dann die zudringlichsten. J 247 f

Es gibt schmerzhafte Erinnerungen, die uns wirklichen, körperlichen Schmerz verursachen; fast jeder Mensch hat solche Erinnerungen, nur vergessen die Menschen sie gewöhnlich. Aber dann geschieht es bisweilen, daß sie ihnen plötzlich wieder einfallen, wenn es auch nur irgendein kleiner Zug ist, der ihnen einfällt, und dann können sie die Erinnerung nicht mehr abschütteln. J 725

In der Erinnerung eines jeden Menschen gibt es Dinge, die er nicht allen mitteilt, sondern höchstens seinen Freunden. Aber es gibt auch Dinge, die er nicht einmal den Freunden aufdeckt, sondern nur sich selbst, und auch das nur unter dem Siegel der Verschwiegenheit. Schließlich gibt es auch noch Dinge, die der Mensch sogar sich selber zu sagen fürchtet, und solcher Dinge sammelt sich bei jedem anständigen Menschen eine ganz beträchtliche Menge an. U 473

Ich glaube, daß die beste Bezeichnung des Menschen die wäre: ein Wesen, das auf zwei Beinen steht und undankbar ist. U 461

Ich habe mich wohl schon tausendmal über diese Fähigkeit des Menschen gewundert, das höchste Ideal neben der niedrigsten Gemeinheit in seiner Seele hegen zu können, und beides mit vollkommener Aufrichtigkeit. J 583

Der Mensch ist breit, sogar allzubreit, ich hätte ihn enger gemacht. BK 176

Man spricht von der ‚tierischen' Grausamkeit des Menschen. Aber das ist sehr ungerecht und für die Tiere wirklich beleidigend: ein Tier kann niemals so grausam sein wie der Mensch, so ausgeklügelt, so kunstvoll grausam. BK 387

Ich will nicht und ich kann auch nicht glauben, daß das Böse der Normalzustand der Menschen sei. Tr 745

Durch Umgang mit Kindern gesundet die Seele. I 107

Kinder unterscheiden sich, solange sie Kinder sind, also ungefähr bis zum siebenten Jahr, ganz unglaublich von erwachsenen Menschen, als ob sie einer anderen Gattung angehörten, eine ganz andere Natur hätten. BK 386

Kinder leben zu unserer Rührung, zur Reinigung unserer Herzen und wie zu einer gewissen Belehrung für uns. BK 522

Wenn ein Erwachsener das Zutrauen eines Kindes oder gar einer ganzen Gruppe Kinder gewinnen will, muß er ernst und sachlich beginnen und sie unbedingt als vollkommen gleichstehend behandeln. BK 286

Es ist bedauerlich, daß man den Kindern heute alles erleichtern will, nicht nur jedes Lernen, jede Aneignung von Kenntnissen, sondern selbst das Spiel, und die Spielsachen sollen dazu beitragen. Kaum beginnt das Kind die ersten Worte zu lallen, da ist man schon bemüht, ihm alles zu erleichtern. Die ganze Pädagogik kennt jetzt nur noch die Sorge um die Erleichterung. Eine solche Erleichterung ist aber mitunter keineswegs eine Förderung der Entwicklung, sondern im Gegenteil eine Verleitung zu Oberflächlichkeit, gewissermaßen eine Abstumpfung. Ein paar Gedanken, ein paar Eindrücke, die der Mensch in der Kindheit aus eigener Kraft (ja, meinetwegen auch unter Schmerzen) tiefer erlebt hat, werden das Kind viel tiefer mit dem Leben vertraut machen, als es jede erleichterte Schule tun könnte, aus der denn auch in der Regel nichts Persönliches hervorgeht, weder dies noch das, weder Gutes noch Böses, selbst im Laster nichts Lasterhaftes und auch in der Tugend nichts Tugendhaftes. TB 89

2. Jeder Mensch verlangt nach Achtung

Das tiefe Verlangen eines jeden Menschen, als Mensch geachtet zu werden, wer man auch ist, offenbarte sich Dostojewskij vor allem während seines Aufenthaltes im Straflager von Omsk. Dort konnte er erfahren, daß man den Menschen durch nichts vergessen machen kann, daß er ein Mensch ist. Aufgrund dieses Urbewußtseins möchte selbst der heruntergekommene Verbrecher, so unmenschlich er auch gehandelt haben mag, seinerseits menschlich behandelt werden. Ja, Dostojewskij war der Überzeugung, daß man gerade mit ihm am menschlichsten umgehen muß, da man mit einer menschlichen Behandlung auch ihn zu einem Menschen machen kann, indem man ihm zur sittlichen Auferstehung verhilft (TH 171). Andererseits übersah Dostojewskij nicht, daß die natürliche Voraussetzung, von anderen geachtet zu werden, die Selbstachtung ist. Zur ihr gelangt der Mensch durch die Überwindung selbst der geringsten Überheblichkeit, durch die Bejahung seiner Menschenwürde und durch die selbstlose Annahme seiner Stellung und seines Schicksals. Wo der Mensch die Achtung vor sich selbst, vor seiner eigenen Menschenwürde verliert, da wird sein Sturz in die Selbsterniedrigung unvermeidlich. Ohne Selbstachtung gibt es also keine Selbsterhaltung.

Jeder Mensch, wer er auch sei und wie tief er auch erniedrigt wäre, verlangt doch – wenn auch nur instinktiv, ganz unbewußt – Achtung vor seiner Menschenwürde. TH 171

Man kann sogar ein Lump sein und doch die Witterung für das, was Ehre ist, nicht einbüßen. W 808

[Raskolnikoff machte sich nach seinem verübten Verbrechen schließlich doch auf den Weg, um sich der Polizei zu stellen:]

Er mußte in den dritten Stock. „Bis ich erst hinaufkomme...", dachte er. Überhaupt schien es ihm, als wäre es noch weit bis zu dem entscheidenden Augenblick, als hätte er noch viel Zeit und könne über vieles noch nachdenken [...] Seine Beine erstarben und knickten ein, aber sie gingen. Er blieb einen Augenblick stehen, um Atem zu holen, um sich in Ordnung zu bringen, um als Mensch einzutreten. „Wozu aber? Wofür?" dachte er plötzlich, als er seiner Bewegung gewahr wurde. „Wenn man schon diesen Kelch leeren muß, ist dann nicht alles schon gleichgültig? Je häßlicher, um so besser!" RR 709f

Wenn du willst, daß man dich achte, so achte vor allem dich selbst; nur dadurch, nur durch Selbstachtung, zwingst du auch andere, dich zu achten.

EuB 735 f

Gerade durch das Fehlen selbst der geringsten Überhebung wird der höhere Anstand erreicht, und man sieht einen Menschen vor sich, der sich selbst ohne Zweifel achtet, und zwar gerade so, wie er ist, in seiner Stellung, gleichviel welch eine Stellung das ist, und gleichviel welch ein Schicksal ihm zuteil geworden ist. Diese Fähigkeit, sich selbst gerade in seiner Stellung zu achten, findet man äußerst selten auf Erden, mindestens ebenso selten wie wirkliche persönliche Würde. J 208

Als ich die Selbstachtung verloren hatte und mich der Verneinung der guten Eigenschaften und der Verleugnung meiner Menschenwürde überließ, da war denn ohnehin so gut wie alles schon verloren, und so konnte er denn kommen, der Sturz, der unvermeidliche! AL 141

3. Die Hauptsache ist das Herz

In seinem Roman „Die Brüder Karamasoff" veranschaulicht Dostojewskij in den Gestalten und Schicksalen der drei Brüder die möglichen Verhaltensweisen des Menschen. In Dmitrij, dem Sklaven seiner Sinne, stoßen wir auf den sich selbst suchenden Willen; in Iwan, dem klugen Atheisten, begegnen wir dem sich empörenden Verstand; in Aljoscha, dem Helden des Romans, erfahren wir das selbstlos liebende Herz. Von ihm wird gesagt, er trage „das Innerste, das Mark des Ganzen in sich", während sich die übrigen „vom Mark losgerissen haben" (BK 8). Er lebte, sah alles und verurteilte nichts.
Hier deutet sich an, warum Dostojewskij das Herz für die Hauptsache hielt. Während der wollende Wille immer nur sich selbst sucht und der im logischen Denken geübte Verstand nur einen geringfügigen Teil der Wirklichkeit erfaßt, ist das Herz immer schon beim Ganzen. Als Ursprung umfassender Erkenntnis und Liebe ist es irrtumslos. Da es die Vitalität dem Geist verbindet, ist es das Zentrum menschlicher Sittlichkeit. Daher ist die Ethik Dostojewskijs eine Ethik des Herzens. Wo das Herz zusammenschrumpft, da verkümmert auch die Ethik.

Ohne ein reines Herz wird man niemals zu voller, rechter Erkenntnis gelangen. U 472

Man kann vieles unbewußt wissen, indem man es nur fühlt, aber nicht weiß. TB 53

In der Logik allein ist doch immer ein Ungenüge, das schwermütig macht. J 717

Mit der Logik allein ist die menschliche Natur nicht zu besiegen! Die Logik sieht drei Möglichkeiten voraus, dabei gibt es ihrer eine Million! RR 342

Nicht der Verstand ist die Hauptsache, sondern das, was ihn lenkt – die Natur, das Herz, die edlen Instinkte, die Entwicklung. EuB 734

Die Ideen wechseln, das Herz bleibt immer gleich. GB 110

Man kann sich wohl in einer Idee irren; man kann sich aber nicht mit dem Herzen irren und durch diesen Irrtum gewissenlos werden, das heißt gegen seine Überzeugung handeln. GB 111

Ich zum Beispiel will doch selbstverstänlich leben, um meine ganze Lebenskraft zufriedenzustellen, nicht aber, um bloß meiner Vernunft Genüge zu tun, also irgendeinem zwanzigsten Teil meiner ganzen Lebenskraft. Was weiß denn die Vernunft? Die Vernunft weiß nur das, was sie bereits erfahren hat (anderes wird sie wohl nie wissen: das ist zwar kein Trost, doch warum soll man es denn nicht aussprechen?), die menschliche Natur jedoch handelt stets als Ganzes, mit allem, was in ihr ist, bewußt und unbewußt... U 460

Große Gedanken entspringen weniger einem großen Verstande als einem großen Gefühl. EG 379

Träume sind bekanntlich eine überaus sonderbare Sache: manches sieht man mit erschreckender Deutlichkeit, mit einer Ausarbeitung der Einzelheiten, als wären sie von einem Juwelier ziseliert, anderes dagegen überspringt man vollkommen, als wäre es überhaupt nicht vorhanden, zum Beispiel Raum und Zeit. Ich glaube, Träume träumt nicht die Vernunft, sondern der Wunsch, nicht der Kopf, sondern das Herz. Tr 727 f

Takt und Würde lehrt das eigene Herz und nicht der Tanzmeister. I 672

Die Menschen [in der Welt] vergessen das Große und geben sich mit dem Kleinen ab. In der Einsamkeit ist das ganz anders: der Mensch festigt sich in sich selbst und wird stark zu jeglicher großen Tat. J 591

Ein freiwilliges, vollkommen bewußtes, durch niemand und nichts erzwungenes Opfer seiner selbst zugunsten aller – ist meiner Ansicht nach das Anzeichen der höchsten Entwicklung der Persönlichkeit, ihrer höchsten Macht, ihrer größten Selbstbeherrschung; ist das Anzeichen der größten Freiheit des persönlichen Willens. Freiwillig sein Leben für alle hingeben, für alle den Kreuzestod sterben oder den Scheiterhaufen besteigen, das kann man nur bei der stärksten Entwicklung der eigenen Persönlichkeit. W 798 f

Nur das ist stark, wofür Blut vergossen wird!" – bloß vergessen die Schufte, daß es sich nicht bei denen als stark erweist, die das Blut vergießen, sondern bei denen, deren Blut vergossen wird. Und das, gerade das ist das Gesetz des Blutes auf Erden. TB 599

4. Nicht das Milieu, sondern der einzelne muß sich ändern

In seinen jungen Jahren widmete Dostojewskij sein Interesse einem progressiven, sozialkritischen Humanismus. Er war der Ansicht, daß es möglich sei, durch die Umwälzung der sozialpolitischen Verhältnisse den Menschen zu ändern. In der Zeit seiner Verbannung gewann er jedoch die Überzeugung, daß sich der einzelne Mensch ändern muß, um eine Verbesserung der Verhältnisse zu bewirken. So kam er dazu, die Erneuerung der Menschen auf dem Wege der sittlich-religiösen Vervollkommnung zu suchen. Er entdeckte die „qualitative Revolution", die immer im eigenen Herzen beginnt. Dazu bedarf es einer ununterbrochenen Selbstkritik und Selbstzucht. Nur wer sich selbst besiegt und sich selbst beherrscht, gelangt zur Freiheit, zur Mitmenschlichkeit und Brüderlichkeit. Daher appellierte Dostojewskij an die Verantwortung des einzelnen; denn jedem einzelnen, der aufrichtig die Wahrheit sucht, bietet sich eine Fülle von Möglichkeiten, dem unter seinen unguten Neigungen leidenden Menschen Mitgefühl zu schenken und ihn in Entschlossenheit und tätiger Liebe aus seiner Isolierung zu befreien.

Ich versichere Ihnen, es ist unser innigster Wunsch, anständige Menschen zu werden. Aber wir schieben's nur immer auf. Und wissen Sie,

„Darüber gehen die Jahre, / Die besten des Lebens, dahin!" J 669

Ohne ein bestimmtes Ziel, ohne nach diesem Ziel ständig zu streben, lebt kein einziger lebendiger Mensch. Verliert der Mensch Ziel und Hoffnung, so verwandelt er sich nicht selten vor lauter Langeweile in ein Ungeheuer. TH 369

Wir haben gesunde Entschlüsse nötig; früher werden wir nicht zur Ruhe kommen. Und nur die Ruhe ist die Quelle jeder großen Kraft [...] Ruhe aber haben wir wenig, besonders geistige Ruhe fehlt uns, und gerade diese wäre die Hauptsache, denn ohne geistige Ruhe gibt es auch keine andere. Dem schenkt man bei uns gar keine Aufmerksamkeit, denn man strebt nur nach zeitlicher, materieller Glätte. In den Köpfen ist keine Ruhe, und zwar in allen Schichten, und so haben wir auch keine Festigkeit, weder in unseren Überzeugungen noch in unseren Ansichten, unseren Nerven und zu guter Letzt auch nicht in unseren Ansprüchen.

TB 570

Ansprüche machen stumpf den Geist. Gut 319

In der heutigen Welt hält man Zügellosigkeit für Freiheit, während die wirkliche Freiheit doch nur in der Überwindung seiner selbst und seines Willens liegt, so daß man zuletzt einen sittlichen Zustand erreicht, in dem man immer, in jedem Augenblick, sein eigener Herr ist. Die Zügellosigkeit der Wünsche führt nur zur Sklaverei. TB 334

Einer Leidenschaft verfallen ist oft schlimmer als in Gefangenschaft geraten. OT 77

Mäßigen Sie Ihre Leidenschaften, besiegen Sie sich! „Willst du die ganze Welt erobern, besiege dich selbst!" Gut 436

Das lebendige Leben muß etwas unglaublich Einfaches sein, das Alltäglichste und Unverborgenste, etwas Tagtägliches und Allstündliches, etwas dermaßen Gewöhnliches, daß wir einfach nicht glauben können, dieses Einfache könnte es sein, und deshalb gehen wir schon so viele Jahrtausende an ihm vorüber, ohne es zu bemerken und zu erkennen. J 341

Wenn ich gesagt habe, die Sache sei „sehr einfach", so habe ich vergessen hinzuzufügen, daß sie gleichzeitig die schwerste von allen ist. Alle Religionen und Sittenlehren der Welt lassen sich schließlich in den einen Satz zusammenfassen: „Liebe die Tugend und fliehe das Laster." Was könnte anscheinend einfacher sein? Nun, dann führen Sie doch etwas Tugendhaftes aus und überwinden Sie wenigstens ein einziges Ihrer Laster, versuchen Sie es doch einmal! – nur wie? J 126

Es wäre wirklich Zeit, endlich aufzuhören, die Schuld apathisch auf das „Milieu" abzuwälzen. Es ist allerdings wahr, daß es vieles erstickt, alles aber kann es uns doch niemals nehmen. Und wie oft hat ein geriebener und sachverständiger Schurke nicht nur seine Schwächen, sondern selbst seine größten Gemeinheiten mit dem Einfluß des „Milieu" äußerst gewandt zu verdecken oder sogar zu rechtfertigen gewußt... T 268 f

Es ist doch so, daß wir, indem wir selbst besser werden, auch das Milieu verbessern. TB 30

Nur durch Energie, Arbeit und Kampf kann das Milieu verändert werden. Nur durch Arbeit und Kampf ist Selbständigkeit und das Gefühl der eigenen Würde zu erlangen. ,Wenn wir dies erreichen, werden wir selbst besser sein, und mit uns wird auch das Milieu besser werden. TB 34

Gehen Sie geraden Weges, ohne Kompromisse im Leben. Festigen Sie in sich Ihre guten Gefühle, denn alles muß gefestigt werden, und hat man nur ein einziges Mal mit seiner Ehre und seinem Gewissen einen Kompromiß geschlossen, dann wird für lange Zeit eine schwache Stelle in der Seele zurückbleiben, so daß Sie bei der Wahl zwischen einer kleinen Schwierigkeit einerseits und dem Vorteilhaften andererseits sich sogleich für den Vorteil entscheiden und vor der Schwierigkeit zurückweichen. Was ich da jetzt sage, ist kein Gemeinplatz; was ich hier sage, schmerzt mich nun selbst; und über die schwache Stelle bei mir habe ich Ihnen wahrscheinlich durch persönliche Erfahrung berichtet. Vielleicht liebe ich in Ihnen gerade das, woran ich selbst kranke. GB 250

Sagt nicht: „Ich bin bloß eine machtlose Eins", oder: „Wenn ich allein mein Vermögen verteile und dienen gehe, so kann ich damit doch nichts verbessern." Im Gegenteil, wenn es nur einige wenige solcher gibt wie ihr, so ist die Sache schon durchgeführt. Und im Grunde ist es nicht einmal *unbedingt* nötig, sein Gut zu verteilen [...] Notwendig und wichtig ist bloß *deine Entschlossenheit, alles zu tun um der tätigen Liebe willen,* alles, was dir möglich ist, was du selbst aufrichtig in deiner Kraft stehend anerkennst [...] Vor allen Dingen aber schreckt euch nicht selbst, sagt nicht: „Einer ist keiner" und ähnliches. Jeder einzelne, der aufrichtig die Wahrheit sucht, der ist schon furchtbar viel. Ahmt auch nicht jene Phrasenmacher nach, die da ununterbrochen sagen, damit man sie höre: „Man läßt mich nichts machen, bindet mir die Hände, pflanzt mir in die Seele Enttäuschung und Verzweiflung!" usw. [...] Wer Nutzen bringen will, der kann auch mit buchstäblich gebundenen Händen unendlich viel tun. Ein echter Tatmensch sieht, wenn er auf den Weg tritt, sofort so viel Arbeit vor sich, daß er nicht anfangen wird, zu klagen, man lasse ihn nichts machen, sondern er wird sofort irgend etwas finden und wird das, was er sich vornimmt, dann selbst mit gebundenen Händen fertigzustellen verstehen. TB 333 f

Um die Welt zu ändern, sie neu zu gestalten, müssen zuvor die Menschen sich selbst psychisch umstellen und eine andere Richtung einschlagen. Bevor man nicht innerlich zum Bruder eines jeden geworden ist, kann kein Brudertum zur Herrschaft gelangen. BK 495

Auch der armseligste Mensch, mag er noch so eingeschüchtert und heruntergekommen sein, ist ein Mensch und unser Bruder. EuB 528

Man spricht die Wahrheit, wenn man sagt: Durch gutes Beispiel lebt der Mensch. J 611

Glauben Sie mir: Es ist ungemein wichtig und nützlich, selbst in einem kleinen Wirkungskreis als gutes Beispiel zu wirken, denn auf diese Weise beeinflußt man Dutzende und Hunderte von Menschen. Ihr Vorsatz, nie zu lügen und in der Wahrheit zu leben, wird die leichtsinnigen Menschen in Ihrer Umgebung nachdenklich stimmen und beeinflussen. Das allein ist schon eine große Tat. Auf diese Weise können Sie ungeheuer viel erreichen. GB 466

Bevor ihr den Menschen predigt, wie sie sein sollen, zeigt es ihnen an euch selbst. Erfüllt selbst, was ihr verkündet, und alle werden euch folgen [...] Denen aber, die reinen Herzens sind, noch einen Rat: Selbstbeherrschung und Selbstüberwindung vor jedem ersten Schritt! Erfülle zuerst selbst, statt daß du andere zwingst: das ist das ganze Geheimnis dieses ersten Schrittes. TB 337

Seien Sie gut, und lassen Sie auch Ihr Kind erkennen, daß Sie gut sind [...] Auf diese Weise werden Sie ihm unmittelbar die Überzeugung beibringen, daß man gut sein soll [...] Die Erinnerung an die guten Handlungen der Eltern, an ihre Wahrheitsliebe, Rechtschaffenheit, Herzensgüte und daran, daß sie keine falsche Scham hatten und womöglich auch nie logen, wird aus Ihrem Kind früher oder später einen neuen Menschen machen; glauben Sie es mir. Denken Sie nicht, daß dies zu wenig ist. Wenn man auf einen großen Baum einen winzigen Zweig pfropft, werden dadurch auch die Früchte des Baumes verändert [...] Machen Sie Ihr Kind mit dem Evangelium bekannt, lehren Sie es an Gott glauben, und zwar streng nach der Überlieferung [...] Etwas Besseres als Christus können Sie gar nicht erfinden, glauben Sie es mir.

GB 464 f

Erfüllen wir zuerst selbst das Gebot Christi, und dann erst laßt uns auch von unseren Kindern die Erfüllung der Gebote verlangen! Andernfalls sind wir nicht die Väter, sondern die Feinde unserer Kinder, und auch sie sind dann nicht unsere Kinder, sondern unsere Feinde, und wir selbst machen sie zu unseren Feinden! BK 1224

Was ist das Wort Christi ohne sichtbares Beispiel? BK 480

[Nach der Verurteilung Raskolnikoffs war Ssonja diesem in die Verbannung gefolgt. Während zwischen ihm und den anderen Gefangenen ein feindseliger Abgrund lag, hatten alle Ssonja alsbald liebgewonnen:]

Wenn sie zu Raskolnikoffs Arbeitsplatz kam oder eine Partie Sträflinge, die zur Arbeit ging, begegnete, nahmen alle die Mütze ab und grüßten Sie: „Mütterchen Ssofja Ssemjonowna, du bist doch unsere liebe Mutter, du Sanfte, Barmherzige!“ sagten dann diese rohen gebrandmarkten Sträflinge zu diesem kleinen schmächtigen Geschöpfchen. Sie lächelte ihnen zu und erwiderte den Gruß, und alle liebten ihr Zulächeln.

[Durch Ssonjas Liebe hatte sich auch Raskolnikoffs Wesen von Grund aus gewandelt:] Er war auferstanden, und er wußte das, fühlte es ganz und gar mit seinem neuen Wesen, sie aber – sie lebte ja doch nur mit seinem Leben!

Am Abend desselben Tages, als die Kasernen schon geschlossen waren, lag Raskolnikoff auf seiner Pritsche und dachte an sie. An diesem Tag schien es ihm, als ob alle Sträflinge, seine früheren Feinde, ihn mit anderen Augen ansahen. Er fing sogar selbst mit ihnen zu sprechen an, und man antwortete ihm freundlich. Er dachte darüber nach, aber es mußte wohl so sein: *mußte* sich denn jetzt nicht alles ändern? RR 735 739

II

Allein die Wahrheit macht den Menschen frei

1. Die Wahrheit liegt in uns

Die Suche nach der Wahrheit beschäftigte Dostojewskij bis zum letzten Augenblick seines Lebens. War ihm einmal etwas zur Gewißheit geworden, so konnte ihn nichts von seiner Überzeugung abbringen. Hätte man seine Ansicht nicht veröffentlichen wollen, so hätte er seinen Roman zurückverlangt, ohne auf die Folgen Rücksicht zu nehmen. Entsprechend lesen wir in einem Brief an seine Frau Anna Grigorjewna vom 20. 12. 1874: „Ich gebe aber auch nicht in einer einzigen Zeile meinen Standpunkt preis, selbst wenn wir in diesem Jahr zum Betteln verurteilt wären." In diesem Wort offenbart sich etwas vom Selbstverständnis eines Dichters, dem es nicht nur darauf ankam, seine Leser zu unterhalten, sondern sie darüber hinaus durch den Wirrwarr ihrer Lebensprobleme hindurchzuführen. Sie sollten im Licht der Wahrheit auf den Weg zur eigenen Identität gelangen und damit zur unerschöpflichen Quelle der Kraft, die den schmerzhaften Zwiespalt und die aus ihm kommende Unrast überwinden hilft.

Die Wahrheit ist nicht außerhalb deiner, sondern in dir, finde sie dort, unterwirf dich dir selbst, bemächtige dich deiner, und du wirst die Wahrheit erleben. Nicht in den Dingen ist diese Wahrheit, nicht außerhalb deiner und nicht irgendwo fern jenseits des Meeres, sondern zuerst und vor allem in deiner eigenen Arbeit an dir selbst. Wenn du dich selbst besiegst, wirst du dich besänftigen und wirst dann so frei sein, wie du dir es noch nie erträumt hast, und wirst damit zugleich ein großes Werk beginnen und auch andere frei machen und das Glück kosten; denn dein Leben wird sich mit Inhalt füllen. P 489

Der Mensch hat solch eine Vorliebe für das Systematisieren und die abstrakten Schlußfolgerungen, daß er bereit ist, die Wahrheit absichtlich zu entstellen, bereit, mit den Augen nicht zu sehen, mit den Ohren nicht zu hören, nur damit seine Logik recht behalte. U 454

Die Wahrheit macht oft den Eindruck des Unmöglichen. I 759

Stepan Trofimowitschs Krankheitszustand verschlimmerte sich ernstlich [...] „Es ist schon lange her, daß ich das Evangelium gelesen habe" [sagte er zu Ssofja Matwéjewna und bat sie, ihm daraus vorzulesen. Sie setzte sich an sein Bett, schlug das Buch auf und las ihm die Bergpredigt vor]. „Assez,

assez, mon enfant, genug... Meinen Sie wirklich, daß das noch nicht genügt?" [...] Ssofja Matwéjewna wollte sich schon erheben, da sie annahm, er wolle einschlafen. Aber er hielt sie zurück. „Mein Freund", sagte er, „ich habe mein Leben lang gelogen. Selbst dann, wenn ich die Wahrheit sagte. Ich habe nie um der Wahrheit willen geredet, sondern nur um meinetwillen; das habe ich auch früher schon gewußt, aber erst jetzt sehe ich das ein [...] Das Allerschwerste im Leben ist doch, zu leben und nicht zu lügen... und... und an die eigene Lüge nicht zu glauben, ja, ja, gerade das!" D 956f

Es gibt nichts Schwereres in der Welt als offenen Freimut und nichts Leichteres als Schmeichelei. Wenn im Freimut bloß ein hundertster Teil des Tones falsch ist, so tritt sofort eine Dissonanz ein, und danach gibt es einen Skandal. Wenn aber in der Schmeichelei alles, selbst der geringste Bruchteil eines Tones, falsch ist, so ist sie auch dann noch angenehm und wird nicht ohne Vergnügen angehört; wenn auch nicht mit grobem Vergnügen, so doch immerhin mit Vergnügen. Und mag die Schmeichelei auch noch so plump sein, es wird doch unbedingt mindestens die Hälfte als Wahrheit geglaubt. Und das gilt für alle Entwicklungsstufen und für alle Schichten der Gesellschaft. Selbst eine Vestalin kann man durch Schmeichelei verführen, von gewöhnlichen Menschen gar nicht zu reden! RR 641

Die Hauptsache ist, belügen Sie sich nicht selbst. Wer sich selbst belügt und auf seine eigene Lüge hört, kommt schließlich dahin, daß er keine einzige Wahrheit mehr, weder in sich noch um sich, unterscheidet. Das aber führt zur Nichtachtung sowohl seiner selbst als der anderen. Wer aber niemanden achtet, der hört auch auf zu lieben; um sich aber ohne Liebe zu beschäftigen und zu zerstreuen, ergibt er sich den Leidenschaften. BK 71 f

Das, was Ihnen in Ihrem eigenen Innern schlecht erscheint, wird schon allein dadurch, daß Sie es in sich bemerken, geläutert. BK 94

Vermeiden Sie die Lüge, jede Lüge, die Lüge vor sich selbst ganz besonders. BK 94

Was ist Heuchelei? – Heuchelei ist der Tribut, den das Laster der Tugend zollen muß – ein Gedanke, der unermeßlich beruhigend ist für einen Menschen, der praktisch lasterhaft bleiben will, dabei aber mit der Tugend wenigstens seelisch die Verbindung nicht aufgeben möchte. Oh, das Laster zahlt der Tugend furchtbar gern ihren Tribut.

TB 93

Ich weiß aus bitterer Erfahrung, wie trügerisch mitunter das Äußere sein kann; daß sich unter Blumen manchmal eine Schlange verbirgt. Ro 409

Jedenfalls kann man schlecht sein und dennoch durch Geist, Gefühl und angenehme Manieren entzücken. Do 359

Man kann sich die ganze Schmach und sittliche Erniedrigung gar nicht ausdenken, zu der ein Eifersüchtiger fähig ist und in die er ohne jegliche Gewissensbisse verfallen wird. Nicht als ob es lauter gemeine und schmutzige Seelen wären! Im Gegenteil, mit hohem Herzen, reiner Liebe, großer Opferbereitschaft kann der Eifersüchtige sich zu gleicher Zeit unter Tischen verstecken, die gemeinsten Leute bestechen und sich mit den letzten Gemeinheiten des Spionierens befreunden [...] Der Eifersüchtige ist fähig (versteht sich, nach einer furchtbaren Szene), alles zu verzeihen, sogar einen fast erwiesenen Verrat, sogar Umarmungen und Küsse, die er selbst gesehen hat, wenn er nur zu gleicher Zeit hoffen kann, daß es „zum letztenmal" gewesen ist und daß sein Gegner von Stund an verschwinden, ans andere Ende der Welt verreisen wird [...] Selbstverständlich dauert die Aussöhnung nur eine Stunde, denn wenn der Gegner auch wirklich auf immer verschwindet, so wird er doch morgen einen anderen, einen neuen Gegner finden, und er wird aufs neue eifersüchtig sein.

BK 620

2. *Einsamkeit und Faulheit liebkosen die Phantasie*

Zu den großen Entdeckungen Dostojewskijs gehört die Erkenntnis, daß es nichts „Phantastischeres" als die Wirklichkeit gibt. Diese Entdeckung empfand er als seine zweite Geburt. Sie bewahrte ihn vor dem Schicksal derer, die Jahrzehnte lang leben und doch sich selbst nicht finden. In einen Winkel ihres Daseins zurückgezo-

gen, sind sie die Gefangenen ihres eigenen Ich, das sich in endlosen Monologen erschöpft. Aus Scheu vor der Auseinandersetzung mit den Gegebenheiten des wirklichen Lebens fliehen sie in das Reich ihrer Träume und geben sich mit einem kurzatmigen Scheinglück zufrieden, ohne zu bemerken, wie das „Gift der törichten Träume“ ihre Seele immer mehr verwelken läßt. Wer ist ein solcher Träumer? Derjenige, der sich der Wahrheit entzieht, der sich selbst etwas vormacht, der sich in selbstsüchtigen, unedlen, hochmütigen und unaufrichtigen Gefühlen verliert, der dem Bösen in sich nicht widersteht. Dabei sind Einsamkeit und Faulheit der beste Nährboden solcher Träume, die die Seele in ihre Netze einweben wie die Spinne die Fliegen. In seinem Notizbuch aus dem Jahre 1876 schreibt Dostojewskij: „Das Leben ist gut, und man muß es so gestalten, daß jeder dies bestätigen kann.“ Der Träumer tut es nicht. Er ist eine gespaltene Persönlichkeit, abgeschnitten von dem, was Dostojewskij das „lebendige Leben“ nennt.

Die Göttin Phantasie hat bereits ihr goldenes Netz um ihn gewebt und füllt es nun aus mit den bunten Mustern eines unerhörten und wunderlichen Lebens [...] Stille herrscht in seinem kleinen Zimmer: Einsamkeit und Faulheit liebkosen die Phantasie; sie glüht leise auf, eine leise Bewegung hebt in ihr an, wie ein leises Wallen, ähnlich dem Wasser in der Kaffeemaschine [...] Plötzlich ist eine neue Welt, ein neues bezauberndes Leben um ihn herum entstanden. Ein neuer Traum – neues Glück! Frisches, verfeinertes, süßes Gift! Oh, was liegt ihm an unserem wirklichen Leben! HN 787

Und so leicht, so natürlich ersteht diese phantastische Märchenwelt, als wären das alles gar nicht bloße Hirngespinste! Wirklich, man ist oft zu glauben versucht, daß dieses ganze Leben nicht eine Schöpfung des Gefühls, nicht eine wesenlose Luftspiegelung und trügerische Einbildung, sondern wahrhaftig Wirklichkeit, etwas wirklich Seiendes, ein greifbar Vorhandenes sei! HN 789

Je weniger irdische Güter die Wirklichkeit Tatjana Iwanowna verlieh, um so mehr tröstete sie sich mit ihrer Phantasie: je unwiederbringlicher und unaufhaltsamer ihre letzten Berechtigungen zu irgendwelchen Hoffnungen dahinschwanden, um so berauschender wurden ihre Illusionen, die sich doch niemals verwirklichen konnten [...] Alles sah und erlebte sie bald nicht nur in ihrer Phantasie, sondern fast wie in Wirklichkeit. Ihre Vernunft widerstand nicht lange dem Gift dieser heimlichen, ununterbrochenen Träume. Gut 406

Für mich ist es besser zu sterben, ja, bei Gott, besser!... Ich taugte nicht zum Leben" [sagte der sterbende Wassenjka seiner früheren Freundin Sina]. „Weshalb weinst du, mein Liebling?" fuhr der Kranke fort. „Weil ich sterbe, nur weil ich sterbe? Aber das übrige, alles, alles übrige ist ja doch schon längst gestorben, längst begraben! Du bist klüger als ich, du hast ein reineres Herz als ich, und deshalb weißt du auch, daß ich ein schlechter Mensch bin [...] Mein ganzes Leben war nur ein Traum. Ich habe nur geträumt, immer nur geträumt und nicht gelebt [...] Bei dir sind Worte und Taten nicht zweierlei." OT 174

Meine romantischen und heroischen Träume aber waren jetzt, nach dem ersten Zusammenstoß mit der Wirklichkeit, endgültig verflogen. Gut 258

Jeder frühe Morgen [...] übt auf die Natur des Menschen eine ernüchternde Wirkung aus. Mancher feurige nächtliche Gedankentraum ist im Licht und in der Kälte des Morgens plötzlich erloschen und wie Rauch verschwunden. J 215

Man fragt sich: Wo sind denn deine Träume geblieben? Und schüttelt den Kopf und murmelt: Wie schnell die Jahre vergehen! Und wieder fragt man sich: Was hast du mit deinen Jahren angefangen? Wo hast du deine beste Zeit begraben? Hast du überhaupt gelebt? Oder nicht! Sieh, sagt man zu sich selbst, sieh, wie kalt es in der Welt wird. Es werden noch einige Jahre vergehen, und dann kommt die grämliche Einsamkeit, kommt mit der Krücke das zittrige Alter und bringt dir Kummer und Leid. Verbleichen wird deine phantastische Welt, verwelken und sterben werden deine Träume, und wie das gelbe Laub von den Bäumen, so werden sie von dir abfallen. HN 795

Bisweilen kann sich der tollste Einfall, der anscheinend unsinnigste Gedanke so in uns festsetzen, daß man ihn schließlich selbst für ausführbar hält... Mehr noch als das: wenn sich dieser Einfall oder diese Idee mit einem starken, leidenschaftlichen Wunsch vereint, so kann man mitunter fast zum Fatalisten werden und das Gewünschte für etwas geradezu Vorherbestimmtes halten, für etwas, das unbedingt geschehen muß und überhaupt nicht ungeschehen bleiben kann! Vielleicht ist hier noch etwas anderes mit im Spiel, irgendeine

Kombination von Vorgefühlen, irgendeine außergewöhnliche Willensanstrengung, eine Selbstvergiftung durch die eigene Phantasie oder sonst noch etwas – ich weiß es nicht. Sp 169

3. *Jeder ist für alle und alles schuldig*

Ein Leitmotiv, das sich durch alle Werke Dostojewskijs hindurchzieht, ist die Überzeugung, daß jeder für jeden verantwortlich ist und am Vergehen anderer Mitschuld trägt, sei es, daß er für den andern kein Licht ist, sei es durch die ihm nicht gewährte brüderliche Anteilnahme und Fürsorge, sei es durch sein unachtsames Verhalten, das im anderen ungute Spuren hinterläßt. Daher kann niemand des anderen Richter sein wollen. Hinzu kommt das Ungute im eigenen Leben. Vor allem am Beispiel von „Rodion Raskolnikoff" zeigt Dostojewskij, wie es sich entwickelt. Am Anfang steht immer die Absonderung und die damit verbundene Einsamkeit, in der sich alsbald eine zweifelhafte Vorstellung anmeldet und auszubreiten sucht. Je mehr dies kritik- und widerstandslos hingenommen wird, um so unaufhaltsamer verdunkelt sich der Verstand und vermindert sich die Willenskraft. Der Mensch liefert sich zunehmend einem Mechanismus aus, der dann keine freie Wahl mehr läßt und zwangsläufig die böse Tat heraufbeschwört. Da diese durch nichts ungeschehen gemacht werden kann, haftet sie dem Menschen in seiner Erinnerung unverlierbar an und meldet sich dort oder in quälenden Angst- und Alpträumen immer wieder unerwartet zu Wort.

Es ist schwer für den Menschen, bei jeder Sünde zu wissen, was daran sündhaft ist und was nicht: darin liegt ein Geheimnis, das über Menschenverstand geht. J 545

Auch du bist schuldig; denn du hättest ja den Missetätern leuchten können, sei es auch nur als einziger Sündenloser, und hast es nicht getan. Wenn du aber so geleuchtet hättest, dann hättest du mit deinem Licht auch anderen den Weg erhellt, und jener, der die Missetat beging, würde sie bei deinem Licht vielleicht gar nicht begangen haben. Und selbst wenn du geleuchtet hättest und dennoch sehen müßtest, daß die Menschen sich nicht einmal bei deinem Licht retten wollen, so bleibe trotzdem fest, und zweifle nicht an der Kraft des himmlischen Lichtes; glaube daran, daß sie, wenn sie sich jetzt nicht der Rettung zuwandten, sich später retten werden. Oder wenn auch später nicht, so werden es doch ihre Nachkommen tun, denn dein Licht wird nicht sterben, selbst wenn du schon gestorben sein wirst. Der Gerechte ist sterblich und geht dahin, sein Licht jedoch bleibt. Es ist nun einmal so, daß man sich immer erst nach dem Tod des Retters der Rettung zuzuwenden beginnt. BK 527 f

Jeder Mensch ist für alle und alles schuldig, ganz abgesehen von seinen eigenen Sünden [...] Wahrlich, es ist so: daß, sobald die Menschen diesen Gedanken begriffen haben werden, das Himmelreich nicht nur in der Vorstellung, sondern in Wirklichkeit beginnen wird. BK 494 f

Denke vor allem daran, daß du niemandes Richter zu sein vermagst. Denn es kann auf Erden niemand Richter sein über einen Verbrecher, bevor nicht der Richter selber erkannt hat, daß er genauso ein Verbrecher ist wie der, der vor ihm steht, und daß gerade er an dem Verbrechen des vor ihm Stehenden vielleicht mehr als alle anderen auch die Schuld trägt. Wenn er aber das erkannt hat, dann kann er auch Richter sein. Wie unsinnig dies auch erscheinen mag, so ist es doch die Wahrheit. Denn wenn ich selbst gerecht wäre, würde es vielleicht auch den Verbrecher nicht geben. BK 525 f

Wenn man schon einmal einen Menschen richtet, dann muß man es mit Kenntnis aller Umstände tun. S 674

Zuerst muß man selbst leben lernen, und dann erst kann man andere beschuldigen! U 538

Raskolnikoff ging auf dem Heimweg in ein kleines billiges Wirtshaus. Dort bestellte er Tee, setzte sich hin und verfiel in tiefes Nachdenken. Ein sonderbarer Gedanke begann sich in seinem Kopf durchzupicken, wie ein Küken, das aus der Eierschale will, und fesselte ihn sehr, fesselte ihn immer mehr. RR 90

Der Verbrecher, und fast jeder Verbrecher, erleidet im Augenblick des Handelns eine Einbuße an Willen und Verstand, an deren Stelle ein kindischer, phänomenaler Leichtsinn tritt, und dies geschieht immer gerade in dem Augenblick, wo Verstand und Vorsicht am nötigsten sind. RR 100

Der letzte Tag, der so unerwartet eintrat und der alles mit einem Male zur Entscheidung brachte, wirkte auf Raskolnikoff fast rein mechanisch: wie wenn ihn jemand an der Hand genommen und unwiderstehlich, blindlings, mit einer übernatürlichen Kraft nach sich gezogen hätte, ohne Widerrede, ganz als wäre er mit einem Zipfel seines Rockes in das Rad einer Maschine geraten und mitgerissen worden. RR 99 f

[Die schwere Schuld hat Raskolnikoff nicht nur seelisch, sondern auch körperlich ruiniert. Daher sagt ihm der Arzt Sossimoff:]

Ihre völlige Genesung hängt jetzt hauptsächlich von Ihrem eigenen Willen ab. Jetzt, wo man mit Ihnen reden kann, möchte ich Ihnen vorhalten, daß es notwendig ist, die ursprünglichen, sozusagen die Grundursachen zu beseitigen, die Ihren Krankheitszustand hervorgerufen haben – dann werden Sie auch genesen, sonst könnte es wieder schlimmer werden. Diese ersten Ursachen kenne ich nicht, aber Ihnen müssen sie bekannt sein."

RR 298

4. *Eine Schuld, die größer als Gottes Liebe wäre, gibt es nicht*

In der religiösen Weltanschauung Dostojewskijs konnte es keine Schuld geben, die unverzeihbar wäre, wenn nur der Sünder im Bewußtsein seiner Schuld und im Glauben an Gottes Liebe umkehrt. Der Grund ist einsichtig: Eine Schuld, die größer als Gottes Liebe wäre, gibt es nicht. Wie tief dieser Gedanke Dostojewskij beseelte, offenbart eines seiner letzten Worte. Auf dem Sterbebett liegend, rief er seine Kinder zu sich und bat seine Frau, aus der Bibel die „Geschichte vom verlorenen Sohn" vorzulesen. Er selbst hörte mit geschlossenen Augen zu. Dann sagte er: „Meine Kinder, vergeßt niemals, was ihr eben gehört habt; habt unbedingtes Vertrauen auf Gott, und zweifelt niemals an seiner Barmherzigkeit. Ich liebe euch sehr, aber meine Liebe ist nichts im Vergleich zu der unendlichen Liebe Gottes zu allen Menschen, die er erschaffen hat." Daß diese Liebe Gottes eine Herausforderung an jeden Menschen ist, seinerseits immer wieder zu verzeihen, war für Dostojewskij eine Selbstverständlichkeit.

Wenn nur die Reue in dir nicht erlahmt, so wird Gott alles verzeihen. Gibt es doch keine Sünde, kann es doch auf der ganzen Welt keine so große Sünde geben, die Gott der Herr dem wahrhaft reuigen Sünder nicht verziehe. Und kann doch der

Mensch nie und nimmer eine so große Sünde begehen, daß sie die endlose Liebe Gottes ganz erschöpfte. Oder glaubst du, daß es eine Sünde gäbe, die größer wäre als die Liebe Gottes? [...] Glaube daran, daß Gott dich so liebt, wie du es dir gar nicht denken kannst, daß er dich mitsamt deiner Sünde und in deiner Sünde liebt. Weißt du nicht, daß geschrieben steht: Über einen reuigen Sünder wird im Himmel mehr Freude sein als über zehn Gerechte? [...] Liebe erkauft alles, Liebe rettet alles. Wenn du schon mich, der ich doch ein ebenso sündiger Mensch bin wie du, gerührt hast und ich Mitleid mir dir empfinde, um wieviel mehr wird es dann Gott tun. BK 84f

Nun gut", [fuhr Marmeladoff würdevoll fort,] „mag ich ein Schwein sein [...] Ich bin eines Tieres Ebenbild [...] Meinst du denn, du Krämer, daß diese deine Flasche mir zur Freude gereichte? Kummer, Kummer suchte ich auf ihrem Grunde, Kummer und Tränen, und die habe ich auch gefunden und habe sie verkostet. Mitleid aber mit uns wird der haben, der mit allen Mitleid hat, und der alles und alle verstanden hat, Er, der Einzige, er ist auch der Richter [...] Und er wird der Richter sein allen und wird vergeben, wie den Guten so auch den Bösen, wie den Weisen so auch den Einfältigen... Und wenn er mit allen schon fertig sein wird, dann wird er auch zu uns sprechen: ‚Kommet auch ihr!' wird er sagen. ‚Kommt, ihr Betrunkenen, kommt, ihr Schwächlinge, kommt, kommt, ihr Schandkerle!' Und wir alle werden vortreten, ohne uns zu schämen, und werden dastehen. Er aber wird sagen: ‚Ihr Schweine! Ihr Ebenbilder des Tieres und vom Tiere Gestempelten; aber kommet auch ihr!' Und die Weisen und die Klugen werden ausrufen: ‚Herr! Warum nimmst du denn diese auf?' Und er wird sagen: ‚Ich nehme sie auf, ihr Weisen, ich nehme sie auf, ihr Klugen, weil kein einziger von ihnen sich dessen für würdig gehalten hat...' Und er wird seine Hände uns entgegenstrecken, und wir werden niedersinken... und werden weinen... und alles verstehen [...] Und alle werden verstehen [...] Herr, dein Reich komme!" RR 23 u. 34 f.

Es lebte einmal ein altes Weib, das war sehr, sehr böse und starb. Diese Alte hatte in ihrem Leben keine einzige gute Tat vollbracht. Da kamen denn die Teufel, ergriffen sie und warfen sie in den Feuersee. Ihr Schutzengel aber stand da und dachte: Kann ich mich denn keiner einzigen guten

Tat von ihr erinnern, um sie Gott mitzuteilen? Da fiel ihm etwas ein, und er sagte zu Gott: „Sie hat einmal", sagte er, „in ihrem Gemüsegärtchen ein Zwiebelchen herausgerissen und es einer Bettlerin geschenkt." Und Gott antwortete ihm: „Dann nimm", sagte er, „dieses selbe Zwiebelchen, und halte es ihr hin in den See, so daß sie es zu ergreifen vermag, und wenn du sie daran aus dem See herausziehen kannst, so möge sie ins Paradies eingehen, wenn aber das Pflänzchen abreißt, so soll sie bleiben, wo sie ist." Der Engel lief zum Weib und hielt ihr das Zwiebelchen hin: „Hier", sagte er zu ihr, „faß an, wir wollen sehen, ob ich dich herausziehen kann!" Und er begann vorsichtig zu ziehen – und hatte sie beinahe schon ganz herausgezogen, aber da bemerkten es die anderen Sünder im See, und wie sie das sahen, klammerten sie sich alle an sie, damit man auch sie mit ihr zusammen herauszöge. Aber das Weib war böse, sehr böse und stieß sie mit den Füßen zurück und schrie: „Nur mich allein soll man herausziehen und nicht euch, es ist mein Zwiebelchen und nicht eures!" Wie sie aber das ausgesprochen hatte, riß das kleine Pflänzchen entzwei. Und das Weib fiel in den Feuersee zurück und brennt dort noch bis auf den heutigen Tag. Der Engel aber weinte und ging davon. BK 575 f.

Vergeben wir, vergeben wir, laßt uns vor allen Dingen vergeben, allen und immer vergeben... Und laßt uns hoffen, daß auch uns vergeben werden wird. Ja, denn alle sind und jeder einzelne ist vor dem anderen schuldig. Alle sind schuldig! D 945

Ich hatte ungeheuer vieles noch nicht gesehen und nicht bemerkt an diesem Menschen, den ich bereits verurteilte. J 632

Man muß nachsichtig sein, und vieles, vieles kann man dann verzeihen. RR 320

III

Durch die Qual des Zweifels zum Hosianna des Glaubens

1. Von der Berührung mit anderen Welten

Dostojewskij war ein Mensch, der des Staunens fähig war. Nie ist es der Verstand, sondern immer das Herz, das zum Staunen gelangt; denn allein das Herz vermag das Unbegreifliche wahrzunehmen, das sich unerwartet als überaus sinnvoll erweist. Allein das Herz erspürt, daß es ein überweltliches Geheimnis geben muß, das alles und jeden liebend und sorgend umfängt. So ist es immer das Geheimnis, das das menschliche Herz zum Staunen bringt. Für Dostojewskij war es allerorts gegenwärtig: denn für ihn war die Welt Gottes Schöpfung, in der selbst das vernunftlose Lebewesen seinen Weg kennt und das Geheimnis Gottes bezeugt, indem es dieses erfüllt (BK 480f). Das erkennt, wer den Dingen in Ehrfurcht begegnet. So gelangt er zur wahren Gelehrtheit, die nie lebensverneinend oder lebensfeindlich ist, und zu einer unaussagbaren Freude: „Alles ist in dir, Gott, und auch ich bin in dir" (J 551). Die Berührung mit dieser geheimnisvollen anderen Welt ergibt sich darüber hinaus durch das Zerbrechen der normalen Bedingungen. Gerade in solchen Augenblicken wird der Mensch in die Lage versetzt, Geheimnisse zu ertasten, die für ihn in einem gesunden Zustand unerreichbar sind.

Erst wenn du jedes Ding lieben wirst, wird sich dir das Geheimnis Gottes in den Dingen offenbaren. Hat es sich dir aber einmal offenbart, dann wirst du es bereits unablässig immer weiter und immer mehr und Tag für Tag erkennen. BK 522

Nicht alle lebendigen Dinge sind leicht zu begreifen. Das ist ein Axiom [...] Die wahre Gelehrtheit ist nicht etwa feindlich dem Leben gegenüber, sondern stimmt schließlich mit dem Leben immer überein, dem sie *neue Offenbarungen* gibt, die sie im Leben selbst entdeckt. Das ist das wesentliche und großartige Kennzeichen der wahren Gelehrtheit. Die unwahre Gelehrtheit dagegen ist, und mag sie auch noch so groß sein, dem Leben doch immer irgendwie feindlich und geht womöglich bis zur Verneinung des Lebens. TB 614 f

Vieles auf Erden ist uns verborgen. Als Ersatz dafür ward uns ein geheimnisvolles heimliches Gefühl zuteil von unserer pulsierenden Verbindung mit einer anderen Welt, einer erhabenen und höheren Welt, und auch die Wurzeln unserer Gedanken und Gefühle sind nicht hier, sondern in anderen Welten. Deshalb sagen ja auch die Philosophen, daß das Wesen der Dinge hier auf Erden nicht zu erfassen sei. Gott nahm Samenkörner aus anderen Welten und säte sie auf diese Erde [...], und es ging alles auf, was aufgehen konnte, aber das Aufgegangene lebt und bleibt pulsierend lebendig nur durch das Gefühl seiner Berührung mit geheimnisvollen anderen Welten. Wenn dieses Gefühl in dir schwach wird oder abstirbt, dann stirbt auch das, was in dir aufgewachsen war. Dann wirst du auch dem Leben gegenüber gleichgültig und beginnst es sogar zu hassen. BK 525

Sobald ein Mensch erkrankt und die normale irdische Ordnung im Organismus ein wenig ins Wanken geraten ist, beginnt sich sofort die Möglichkeit einer anderen Welt zu zeigen, und je stärker er erkrankt, um so mehr gibt es für ihn Berührungspunkte mit jener Welt, so daß er, wenn er schließlich stirbt, unmittelbar in die andere Welt eingeht. RR 388

[Der Staretz Sossima am Ende seines Lebens:]

Mein Leben geht zu Ende, ich weiß es und fühle es. Doch fühle ich auch mit jedem sich neigenden Tag, wie sich mein irdisches Leben mit einem neuen, unendlichen, unbekannten, aber schon nah herankommenden Leben berührt, in dessen

Vorgefühl meine Seele vor Entzücken erzittert, mein Geist leuchtet und mein Herz vor Freude weint. BK 476 f

2. *Einen wirklich Gottlosen gibt es nicht*

Trotz seiner tiefen Religiosität gab es im Leben Dostojewskijs eine Frage, die ihn stets, bewußt oder unbewußt, gequält hatte: „Es ist die Frage vom Dasein Gottes." Auffallend ist denn auch, welch breiten Raum die „Ungläubigen", die Atheisten und Nihilisten, in seinen großen Romanen einnehmen. Sie alle stimmen nicht nur in ihrer entschiedenen Verneinung Gottes überein, sondern auch in der Erfahrung der Sinnlosigkeit ihres Lebens, der „Verhöhnung" der menschlichen Personwürde durch das Walten blinder Naturgesetze, „was für ein mit Denkvermögen ausgestattetes Lebewesen erniedrigend ist" (S 695), sowie in der Erfahrung von sinnlosem Leid unschuldiger Kinder. Von hier aus kann man verstehen, weshalb es gerade die Atheisten und Zweifler sind, durch die er die ihn quälenden Gedanken, Erfahrungen und Erlebnisse zum Ausdruck bringt. Andererseits ist für ihn der Glaube an Gottes Dasein die unverzichtbare Voraussetzung für das personale Selbstverständnis des Menschen und die einzige Grundlage aller wahren Sittlichkeit. Ein Humanismus ohne Gott schien ihm unmöglich. Zu diesem Glauben hatte er sich immer mehr durchgerungen. Aus der Kraft dieses Glaubens versuchte er unermüdlich, Atheismus und Nihilismus zu überwinden, wobei es seine tiefe Überzeugung war, daß es wohl den Ruhelosen, nicht aber den wirklichen Gottlosen gibt.

Vollständiger Atheismus ist achtbarer als weltliche Gleichgültigkeit [...] Ein vollständiger Atheist steht auf der vorletzten Stufe zum vollständigsten Glauben (ob er nun auch die höchste betritt oder nicht, gleichviel); der Gleichgültige jedoch hat überhaupt keinen Glauben, außer einer üblen Furcht.

D 600

[Iwan Karamasoff im Gespräch mit seinem Bruder Aljoscha:]

Im achtzehnten Jahrhundert lebte ein großer Sünder, und der hat von Gott gesagt: S'il n'existait pas, il faudrait l'inventer. Und tatsächlich hat sich der Mensch Gott ausgedacht. Doch nicht das ist sonderbar, nicht das wäre wunderbar, daß Gott tatsächlich existiert, wohl aber ist wunderbar, daß solch ein Gedanke – der Gedanke von der Unentbehrlichkeit Gottes – in den Kopf eines so wilden und bösartigen Tieres, wie es der

Mensch ist, hat kommen können: dermaßen heilig, dermaßen rührend, dermaßen weise ist er, und dermaßen große Ehre macht er den Menschen. Was nun mich dabei anbetrifft, so habe ich schon vor langer Zeit beschlossen, nicht mehr darüber nachzudenken, ob der Mensch Gott oder Gott den Menschen geschaffen hat [...] Und auch dir, Freund Aljoscha, rate ich, nie darüber nachzudenken, vor allem nicht über Gott: ob es ihn gibt oder nicht gibt. Das sind Fragen, an die unser Verstand überhaupt nicht heranreicht, da dessen Begriffsvermögen nur für das Erfassen der drei Ausdehnungen geschaffen ist. Und so akzeptiere ich denn gern nicht nur Gott allein, sondern ich akzeptiere auch seine Allwissenheit und sein Ziel, das uns vollkommen unbekannt ist ..." BK 380ff

[Iwan Karamasoff im Gespräch mit seinem Bruder Aljoscha:]

Laß dir kurz gesagt sein, daß ich im Endresultat diese Gotteswelt – *nicht* akzeptiere, und wenn ich auch weiß, daß sie existiert, so will ich sie doch nicht gelten lassen. Nicht Gott akzeptiere ich nicht, verstehe mich recht, sondern die von ihm geschaffene Welt akzeptiere ich nicht und kann ich nicht akzeptieren. Ich will mich deutlicher ausdrücken: ich bin wie ein Kind überzeugt, daß das Leid vernarben und sich ausgleichen wird, daß die ganze beleidigende Komik der menschlichen Widersprüche wie ein armseliges Trugbild verschwinden wird, wie eine widerliche Erfindung des kraftarmen, nur atomgroßen euklidischen Menschenverstandes, und daß schließlich im Weltfinale, im Moment der ewigen Harmonie etwas dermaßen Herrliches geschehen und erscheinen wird, daß es für alle Herzen ausreicht, zur Stillung allen Unwillens, zur Sühne aller von Menschen begangenen Greuel, zur Sühne alles durch sie vergossenen Blutes, daß es ausreichen wird zur Möglichkeit nicht nur der Vergebung, sondern auch der Rechtfertigung alles dessen, was mit den Menschen geschehen ist – schön, schön, mag das alles geschehen und so sein, ich aber akzeptiere das nicht und will es nicht akzeptieren! [...] Ich rede nicht von den Leiden der Großen. Die haben den Apfel vom Baum der Erkenntnis gegessen und – zum Teufel mit ihnen, aber die Kinder, die Kinder!" [...] Wenn die Leiden der Kinder zu jener Summe von Leid, die zum Kauf der Wahrheit erforderlich ist, unbedingt hinzukommen müssen, so behaupte ich im voraus, daß die Wahrheit diesen Preis nicht wert ist [...] Wenigstens erlaubt es mein Beutel nicht, so viel für den Eintritt zu bezahlen. Darum aber beeile ich mich, mein Eintrittsbillett zurückzugeben. Und wenn ich nur ein ehrlicher Mensch bin, so ist es meine Pflicht, dies sobald wie möglich zu tun. Das tue ich denn auch. Nicht Gott ist es, den ich ablehne. Aljoscha, ich gebe ihm nur die Eintrittskarte ergebenst zurück."

BK 383 394 399

Ohne Kritik gäbe es nichts als „Hosianna". Fürs Leben aber ist „Hosianna" allein zu wenig, dieses „Hosianna" muß vorher unbedingt durch den Schmelzofen der Zweifel gegangen sein. BK 1048

Das Wesen des religiösen Gefühls ist durch keinerlei vernunftmäßige Überlegungen zu erfassen [...] Es handelt sich da um etwas ganz anderes, um etwas Andersartiges und wird in alle Ewigkeit andersartig sein. Es ist hierbei etwas, woran die Atheisten ewig abgleiten werden und ewig werden sie nicht davon, sondern daran vorbei reden. I 340

Es gibt bei uns jetzt tatsächlich manche Menschen, die sogar beten und zur Kirche gehen, dabei aber an die Unsterblichkeit ihrer Seele nicht glauben, jedenfalls niemals darüber nachdenken [...] Und doch fließt nur aus diesem Glauben allein [...] der ganze höhere Sinn und die Bedeutung des Lebens, fließt der Wille zum Leben, und die Lust zu leben. TB 271

Gibt es keine Unsterblichkeit der Seele, so gibt es auch keine Tugend, folglich ist alles erlaubt.

BK 134 u. 1031

Nur Gott quält mich" [sagte Mitja zu Aljoscha.] „Was aber dann, wenn Er nicht ist? [...] Wie wird er tugendhaft sein ohne Gott? Das ist die Frage! Über diese Frage komme ich nicht hinweg. Denn wen wird er dann noch lieben, dieser Mensch ohne Gott? Wem wird er dann noch dankbar sein, wem wird er dann noch eine Hymne singen?"

BK 962

Viele starke Menschen haben, wie mir scheint, geradezu ein natürliches Bedürfnis, jemand oder etwas zu finden, vor dem sie sich beugen können. Für einen starken Menschen ist es oft sehr schwer, seine eigene Stärke zu ertragen. J 97

Die Höhe einer Menschenseele ist zum Teil danach zu ermessen, wie weit und vor wem sie fähig ist, Ehrfurcht und Verehrung zu bezeugen (oder Andacht zu empfinden). TB 604

Das ganze Gesetz des menschlichen Seins besteht nur darin, daß der Mensch sich immer vor etwas unermeßlich Großem beugen kann. Wollte man aber den Menschen das unermeßlich Große nehmen, so würden sie nicht mehr leben wollen und in Verzweiflung sterben. Das Unermeßliche und Unendliche ist für den Menschen ebenso notwendig, wie dieser kleine Planet, auf dem er lebt. D 972

Einem wirklich Gottlosen bin ich in meinem ganzen Leben noch nicht begegnet", fuhr Makar Iwanowitsch fort. „Statt seiner bin ich nur dem Ruhelosen begegnet – siehst du, so muß man ihn richtiger nennen. Darunter gibt es die verschiedensten Leute; du kannst dir fürwahr gar nicht ausdenken, was für Leute das alles sind: große und kleine, dumme und gelehrte, und manche darunter sind sogar von allereinfachstem Stande, und alle sind sie ruhelos [...] Manch einer ist in seiner Erbitterung härter denn ein Stein, sein Herz aber ist voll von gärendem Träumen. Manch einer wiederum ist gefühllos und leichtsinnig und hat Genüge, wenn er seinen Spott belachen kann [...] Manch einer hat alle Wissenschaften studiert, und doch weicht die Schwermut nicht von ihm. Ich denke so, daß je mehr Wissen hinzukommt, um so mehr kommt auch Langeweile hinzu [...] Alle sind ins Verderben geraten, nur lobt ein jeder sein Verderben, sich aber der einzigen Wahrheit zuzuwenden, daran denkt er nicht; ohne Gott jedoch zu leben, ist nur eine Qual. So kommt es, daß wir das verfluchen, wodurch wir erleuchtet werden, und das selber nicht einmal ahnen. Ja, und was hat es auch für einen Sinn: so einen Menschen kann es ja gar nicht geben, der sich nicht vor irgend etwas beugt; ein solcher Mensch würde sich selber nicht ertragen können; kein Mensch könnte das. Wenn er Gott verstoßen hat, so beugt er sich vor einem Götzen, vor einem hölzernen oder goldenen oder einem gedanklichen. Götzendiener sind das alles, aber nicht Gottlose, sieh, so muß man sie nennen." J 573f

Schon allein, daß ich weiß, es gibt ein höheres Wesen, als ich es bin, versöhnt mich mit dem Leben und bewahrt mich davor, der Verzweiflung anheimzufallen. UD 293

Gott ist für mich schon deshalb unentbehrlich, weil er das einzige Wesen ist, das man ewig lieben kann. D 971

3. *Gebet ist keine leere Förmlichkeit*

Zu den wesentlichen Lebensinhalten Dostojewskijs gehörte sein tiefes und zugleich kindliches Vertrauen in die Macht des Gebetes. Durch die Frau eines orthodoxen Priesters erfahren wir, daß er oft zur Kirche ging: „Er kam immer vor allen und ging als letzter weg. Er suchte den gewohnten Platz in einer Ecke hinter einer Säule auf, wo er jedem Blick entzogen war. Immer kniete er, ins Gebet versunken, tränenüberströmt, wie in Trance." Ähnliches berichtet seine Frau aus der Erinnerung an einen Besuch in der Kasaner Kathedrale: „Fjodor Michailowitsch verschwand sofort in der Menge. Da ich wußte, daß er in gewissen feierlichen Augenblicken in aller Stille, ohne Zeugen, zu beten pflegte, folgte ich ihm nicht nach und fand ihn erst eine halbe Stunde später in einem Winkel der Kirche, so tief ins Gebet versunken und von Rührung ergriffen, daß er mich im ersten Augenblick gar nicht erkannte." Jeden Abend kam er zu seinen Kindern, um sie „für den kommenden Schlaf zu segnen". Neben dem Gebet war vor allem die Meditation der Bibel bestimmend für sein künstlerisches Schaffen. Die Bibel begleitete ihn ins Straflager. Später hatte sie einen festen

Platz auf seinem Schreibtisch. Selbst auf seinem Sterbebett hielt er sie in seinen Händen. In ihr entdeckte er eine Kraft, durch die das Urbild der Welt und des Menschen herausgemeißelt wird.

Du wirst einsehen, daß Gebet Erziehung ist. BK 521

Ich sammelte alle meine Gefühle in meinem Gebet. NN 515

Herrgott, wenn der Mensch nur auftaute im Gebet. BK 961

[Raskolnikoff begann Ssonja forschend zu betrachten:]

So betest du wohl sehr zu Gott, Ssonja?" fragte er sie. Ssonja schwieg, er stand neben ihr und wartete auf die Antwort. „Was wäre ich denn ohne Gott?" flüsterte sie dann schnell, energisch, nachdem sie ihn flüchtig mit plötzlich aufblitzendem Blick gestreift hatte [...] „Und was tut Gott dafür für dich?" fragte er, um sie weiter auszuforschen.

Ssonja schwieg lange, als könnte sie nicht antworten [...] „Alles tut er!" flüsterte sie schnell [...] „Gottesnärrin! Gottesnärrin!" wiederholte er für sich. RR 435

Betest du auch vor dem Schlafengehen?" [fragte der alte Makar den Jüngling.] „Nein, ich halte das für eine leere Förmlichkeit." [Der Alte aber erwiderte ihm:] „Das ist nicht recht von dir, Freund, daß du nicht betest; beten ist gut, es macht das Herz froh, zumal vor dem Schlafengehen und nach dem Erwachen frühmorgens, und auch so du in der Nacht aufwachst." J 550

Was glaubst du, wie dem zumute ist, der niemand hat, der für ihn betet? Deshalb füge, wenn du vor dem Schlafengehen dein Gebet sprichst, zum Schluß noch die Worte hinzu: „Erbarme dich, Herr, auch aller derer, die niemand haben, der für sie betet." Dies Gebet ist gewiß Gott wohlgefällig und wird auch erhört werden. J 589 f

Mein Gott, was ist das für ein Buch, und was sind das für Lehren! Welche Wunder enthält diese Heilige Schrift, und welch eine Kraft ist mit ihr dem Menschen gegeben! Es ist wie ein Herausmeißeln des Urbildes der Welt und des Menschen und der menschlichen Charaktere, und alles ist da mit Namen genannt und gedeutet für alle Zeiten. Und wie viele gelöste und offenbarte Geheimnisse.

BK 476

Ich liebe dieses Buch! [...] Es bedarf ja nur eines kleinen Samenkorns, eines winzigen: möge der Priester des Herrn ein solches in die Seele des einfachen Mannes werfen, und es wird nicht sterben, es wird ein ganzes Leben lang heimlich glimmen in seiner Seele, wird sich verbergen in ihm inmitten der Finsternis, inmitten des Gestanks seiner Sünden wie ein lichter Punkt und wie eine große Mahnung. Und es ist nicht einmal nötig, nein, gar nicht nötig, viel zu erläutern und zu lehren; je einfacher es gesagt wird, um so besser versteht er es.

BK 479

Der Lichtstumpf im schiefen Leuchter begann auszugehen und beleuchtete trübe in diesem armseligen Zimmer den Mörder und die Dirne, die sich über dem Lesen des ewigen Buches so sonderbar zusammengefunden hatten. RR 440

Es ist unheimlich, was man in diesem Buch finden kann. Es ist aber leicht, diese Sprüche anderen vor die Nase zu halten. Und wer hat das geschrieben, doch nicht etwa Menschen? BK 506

4. *Jesus Christus, das Spiegelbild Gottes auf Erden*

In den „Meditationen an der Bahre" seiner ersten Frau geht Dostojewskij von der Frage aus: „Werde ich Mascha wiedersehen?" In der Beantwortung dieser Frage konzentriert sich alles auf Jesus Christus, das „Ideal des Menschen im Fleisch". Worin besteht dieses Ideal des Menschen, die höchste und letzte Entfaltung seiner Persönlichkeit? In der vollständigen Hingabe seines Ich an alle und jeden. Die Wirklichkeit zeigt indessen, wie sehr der Alltagsmensch hinter diesem Ideal zurückbleibt und die Entwicklung seiner Persönlichkeit durch seinen Egoismus hemmt. Daher bleibt als einzige Möglichkeit seiner Persönlichkeitsentfaltung, sich in das Ich Christi, als sein Ideal, zu verwandeln. Solche Verwandlung vollzieht sich nur durch Leid und Opfer. Wo der Mensch in dieser Weise an Jesus Christus glaubt, da glaubt er auch an sein Leben in der Ewigkeit.
Wer ist also Jesus Christus für Dostojewskij? Er ist die Inkarnation des Schönen, des Positiven, des Lichtvollen,

der Liebe. Er ist der menschgewordene Gott, der Gottmensch und als solcher die einzige Quelle lebendigen Lebens. Er ist „das Spiegelbild Gottes auf Erden", der seine Größe in der Erniedrigung seiner gekreuzigten Liebe offenbart.

Wenn wir nicht im Glauben und in Christus eine Autorität hätten, würden wir uns in allem verirren. Es gibt sittliche Ideen. Sie erwachsen aus dem religiösen Gefühl, aber mit der Logik allein sind sie niemals zu rechtfertigen. TB 619

Die gewaltige Tatsache der Erscheinung Christi auf Erden und alles dessen, was darauf folgte, verlangt meiner Ansicht nach auch wissenschaftliche Ausarbeitung. Die Wissenschaft kann es doch nicht für unter ihrer Würde halten, die Bedeutung der Religion in der Menschheit zu untersuchen, und wäre es auch nur im Hinblick auf die historische Tatsache, die durch ihre Ununterbrochenheit und Beharrlichkeit frappiert. Die Überzeugung aber der Menschen von der Berührung mit anderen Welten – diese unausrottbare Überzeugung ist doch gleichfalls sehr bedeutsam. So etwas läßt sich doch nicht mit einem Federstrich lösen. TB 619f

Was könnten wir an seine Stelle setzen? Doch nicht uns selbst, die wir so schlecht sind. GB 402

Diejenigen, die sich vom Christentum losgesagt haben und gegen dasselbe eifern, sind ihrem Wesen nach doch Ebenbilder dieses selben Christus und werden es bleiben, denn bis jetzt ist weder ihre Weisheit noch die Glut ihres Herzens fähig gewesen, ein anderes, höheres Ideal des Menschen und der Menschenwürde hervorzubringen als das von Christus vorzeiten gegebene. Was aber an Versuchen bekannt geworden ist, so waren das nichts als Mißgeburten. BK 277

Nicht das Leid, nein, die Freude der Menschen suchte Jesus auf, als er sein erstes Wunder vollbrachte, zur Freude verhalf er ihnen. Wer die Menschen liebt, der liebt auch ihre Freude. BK 588

Für mich ist Christus das Beispiel und Ideal der Sittlichkeit. TB 616

Gewissen ohne Gott ist etwas Entsetzliches. Es kann sich bis zur größten Unsittlichkeit verirren.

Es ist unzureichend, Sittlichkeit als Überzeugungstreue zu definieren. Man muß sich auch noch fortwährend fragen: Sind meine Überzeugungen richtig? Ihr Prüfstein aber ist – Christus. Doch hier kommt nicht mehr Philosophie in Frage, sondern Glaube. Glaube jedoch ist wie eine Farbe. TB 616

Alle Ideen Christi sind vom Menschenverstande verdorben worden und scheinen unerfüllbar zu sein [...] Die andere Backe hinhalten, den Nächsten mehr lieben als sich selbst – nicht deshalb, weil es vorteilhaft ist, sondern weil es einem gefällt, bis zum brennenden Gefühl, bis zur Leidenschaft. Christus habe sich geirrt – das sei erwiesen! Doch dieses brennende Gefühl sagt: Lieber bleibe ich bei meinem Irrtum mit Christus als bei euch.

TB 616 f

Es gibt in der Welt nur eine einzige positiv-schöne Gestalt: Christus, diese unendlich schöne Gestalt ist selbstverständlich ein unendliches Wunder (das ganze Evangelium Johannis ist von diesem Gedanken erfüllt: Johannes sieht das Wunder in der Fleischwerdung, in der Erscheinung des Schönen).

GB 251 f

Ich will Ihnen von mir sagen, daß ich ein Kind dieser Zeit, ein Kind des Unglaubens und der Zweifelsucht bin und es wahrscheinlich (ich weiß es bestimmt) bis an mein Lebensende bleiben werde. Wie entsetzlich quälte mich (und quält mich auch jetzt) diese Sehnsucht nach dem Glauben, die um so stärker ist, je mehr Gegenbeweise ich habe. Und doch schenkt mir Gott zuweilen Augenblicke vollkommener Ruhe; in solchen Augenblicken liebe ich und glaube auch geliebt zu werden; in diesen Augenblicken habe ich mir mein Glaubensbekenntnis aufgestellt, in dem mir alles klar und heilig ist. Dieses Glaubensbekenntnis ist höchst einfach, hier ist es: Ich glaube, daß es nichts Schöneres, Tieferes, Sympathischeres, Vernünftigeres, Männlicheres und Vollkommeneres gibt als den Heiland; ich sage mir mit eifersüchtiger Liebe, daß es dergleichen nicht nur nicht gibt, sondern auch nicht geben kann. Ich will noch mehr sagen: Wenn mir jemand bewiesen hätte, daß Christus außerhalb der Wahrheit steht, und wenn die Wahrheit tatsächlich außerhalb Christi stünde, so würde ich es vorziehen, bei Christus und nicht bei der Wahrheit zu bleiben. GB 86 f

[Kirilloff, der Atheist, zu Pjotr Stepanowitsch:]

Für mich ist nichts höher als die Idee, daß es Gott nicht gibt. Für mich spricht die ganze Menschheitsgeschichte. Der Mensch hat bisher nichts anderes getan, als sich einen Gott auszudenken, um leben zu können, ohne sich selbst umzubringen. Darin besteht die ganze Weltgeschichte bis auf den heutigen Tag. Nur ich allein in der ganzen Weltgeschichte habe mir zum erstenmal Gott nicht ausdenken wollen [...] Alle werden es erfahren. Es gibt nichts Geheimes, das nicht offenbar wird. Das hat *Er* gesagt." Und er wies in fiebernder Ekstase auf das Bild des Erlösers, vor dem das Lämpchen brannte.

„An ihn glauben Sie also immer noch und haben auch noch das Lämpchen angezündet! Tun Sie das womöglich ‚für alle Fälle'?" „An wen? An *Ihn*? Höre", sagte Kiriloff. „Hör zu und vernimm eine große Idee: Es war einmal ein Tag auf Erden, und mitten auf der Erde standen drei Kreuze. Einer von den Gekreuzigten glaubte so, daß er zum anderen sagte: ‚Heute noch wirst du mit mir im Paradiese sein.' Der Tag verging, beide starben, gingen hin und fanden weder Paradies noch Auferstehung. Das Gesagte ging nicht in Erfüllung. Höre: Dieser Mensch war der Höchste auf der ganzen Erde, war die Verkörperung dessen, wozu sie zu leben hatte. Der ganze Planet mit allem, was auf ihm ist, ist ohne diesen Menschen – nichts als Wahnsinn. Es war weder vor noch nach Ihm einer Seinesgleichen da, überhaupt niemals, daß es geradezu zum Wunder wird. Eben darin besteht das Wunder, daß es einen ebensolchen vorher nicht gegeben hat, noch nachher jemals geben wird. Aber wenn dem so ist, wenn die Naturgesetze auch diesen Einmaligen nicht verschont, mit ihrem eigenen Wunderwerk kein Erbarmen gehabt haben und auch Ihn gezwungen haben, inmitten der Lüge zu leben und für die Lüge zu sterben, dann ist folglich der ganze Planet Lüge und beruht auf Lüge und dummer Verhöhnung. Demnach sind dann auch die Gesetze selbst des Planeten Lüge. D 906 ff

Ich glaube an Christus und bekenne mich zu diesem Glauben nicht wie ein Kind, sondern mein Hosianna ist durch das große *Fegefeuer der Zweifel* hindurchgegangen. TB 620

Christus ist vollständig in die Menschheit eingegangen, und der Mensch strebt danach, sich in das Ich Christi, als in sein Ideal, zu verwandeln. M 26

[Der Großinquisitor klagt den wiedergekommenen und vor ihm stehenden Christus an:]

Du wußtest nicht, daß der Mensch, sobald er das Wunder verwirft, sofort auch Gott verwirft, denn der Mensch sucht nicht so sehr Gott, als er Wunder sucht [...] Du stiegst nicht herab vom Kreuz, als man Dir mit Spott und Hohn zurief: „Steige herab vom Kreuz, und wir werden glauben, daß Du Gottes Sohn bist!" Du aber stiegst nicht herab, weil Du wiederum den Menschen nicht durch ein Wunder zum Sklaven machen wolltest, weil Du nach freiwilliger und nicht nach durch Wunder erzwungener Liebe verlangtest. Dich dürstete nach der Liebe freier Menschen, nicht nach knechtischem Entzücken vor der Macht, die dem Sklaven ein für allemal Furcht eingeflößt hat. Aber auch hierin hast Du sie zu hoch eingeschätzt, denn Sklaven sind sie, das sage ich Dir, wenn sie auch als Empörer geschaffen sind. Blicke um Dich und urteile selbst: Da sind nun fünfzehn Jahrhunderte vergangen, gehe hin und sieh sie Dir an: wen hast Du bis zu Dir emporgehoben? Ich schwöre Dir, der Mensch ist schwächer und niedriger geschaffen, als Du es von ihm geglaubt hast. Wie soll er denn dasselbe erfüllen, was Du erfüllt hast? Kann er das überhaupt? Da Du ihn so hoch einschätztest, handeltest Du, als hättest Du kein Mitleid mit ihm gehabt, denn Du verlangtest gar zu viel von ihm – und wer war es, der das tat? Derselbe, der ihn mehr als sich selbst liebte! Hättest Du ihn weniger geachtet, so hättest Du auch weniger von ihm verlangt, das aber wäre der Liebe näher gekommen [...] Wir haben Deine Tat verbessert und sie auf dem *Wunder*, dem *Geheimnis* und der *Autorität* aufgebaut. Und die Menschen freuten sich, daß sie wieder wie eine Herde geführt wurden, und daß von ihren Herzen endlich das ihnen so furchtbare Geschenk, das ihnen soviel Qual gebracht hatte, genommen wurde." [...]

Nachdem der Inquisitor verstummt ist, wartet er noch eine Weile, was der Gefangene ihm antworten werde. Dessen Schweigen bedrückt ihn. Er hat gesehen, wie der Gefangene ihn die ganze Zeit anhörte, und wie tief und still Er ihm in die Augen blickte, offenbar ohne ihm etwas entgegnen zu wollen. Der Greis aber hätte gewünscht, daß Er ihm etwas sage, und wäre es selbst etwas Bitteres, Furchtbares. Er aber nähert sich schweigend dem Greis und küßt ihn still auf die blutleeren neunzigjährigen Lippen. Das ist seine ganze Antwort. Der Greis zuckt zusammen. Und dann erbebt etwas an den Mundwinkeln des greisen Großinquisitors; er geht zur Tür des gewölbten Verlieses, öffnet sie und sagt zu Ihm: „Geh und komme nie wieder ... komme überhaupt nicht mehr ... nie wieder, nie wieder!" Und er läßt ihn hinaus auf die ‚dunklen Gassen der Stadt'. Und der Gefangene geht hinaus. BK 416 ff 428

Nicht Wunder führen den Realisten zum Glauben. Wenn der echte Realist ungläubig ist, wird er immer die Kraft und die Fähigkeit in sich finden, an Wunder nicht zu glauben; wenn aber das Wunder vor ihm zur unabweisbaren Tatsache wird, so wird er eher seinen Sinnen nicht trauen, als daß er die Tatsachen zugäbe. Oder gibt er sie auch einmal zu, so wird er sie doch nur als ganz natürlichen Vorgang zugeben, der ihm nur bis dahin noch unbekannt war. Im Realisten wird der Glaube nicht durch das Wunder hervorgerufen, sondern das Wunder durch den Glauben. Wenn der Realist einmal glaubt, so muß er gerade infolge seines Realismus unbedingt auch das Wunder zugeben. Der Apostel Thomas sagte, daß er nicht eher glauben werde, als bis er selbst sähe, als er aber sah, da rief er: „Mein Herr und mein Gott!" Machte ihn das Wunder glauben? Wahrscheinlich nicht, sondern er glaubte ausschließlich darum, weil er glauben wollte, und vielleicht glaubte er in seinem Innersten schon damals vollkommen, als er sagte, er werde nicht eher glauben, als bis er selbst sähe.

BK 42f

So hängt alles davon ab, ob Christus als endgültiges Ideal auf Erden angenommen wird, d.h. vom christlichen Glauben. Wenn du an Christus glaubst, dann glaubst du auch, daß es ein Leben in der Ewigkeit geben wird. UD 25

Wir wissen, daß Christus als Mensch nicht der Erlöser und nicht die Quelle des Lebens ist, daß die Wissenschaft allein nie das ganze Ideal der Menschheit erfüllen wird, daß innere Ruhe für den Menschen der Quell des Lebens ist und daß die Erlösung aller Menschen von der Verzweiflung und die Bedingung *sine qua non* für das Leben der ganzen Welt in dem Satz liegt: *„Und das Wort ist Fleisch geworden“ und in dem Glauben an diese Worte.* UD 215f

IV

Wege zum lebendigen Leben

1. Die Liebe ist nicht abstrakt

Ohne Liebe bleibt der Mensch der Gefangene einer tödlichen Einsamkeit, in der er sich nicht nur von seinen Mitmenschen, sondern vor allem von sich selbst entfremdet. Wo es ihm hingegen gelingt, durch Mühe und Ausdauer die Liebe zur Grundhaltung seines Daseins zu machen, da öffnet sich ihm eine vollkommen neue Welt, in der er unerwartete Entdeckungen macht. In ihrem Licht lernt er seine Mitmenschen kennen und durch sie sich selbst. Er wird gewahr, daß sein Leben einen Sinn hat; denn er erfährt sich als bedeutsam für andere. So gelangt er zu einem echten Selbstbewußtsein. Er hat den Eindruck, zu einem völlig neuen Leben auferstanden zu sein.
Welche Eigenschaften kennzeichnen eine solche Liebe? Sie ist nicht abstrakt, sondern konkret, das heißt, sie bezieht sich nicht auf die Menschheit, sondern auf den Menschen im einzelnen. Sie zeigt sich in der Tatenfreude, die eines der wesentlichen Kennzeichen der Ethik bei Dostojewskij ist. In jeder guten Tat gibt der Mensch ein Stück seiner Persönlichkeit und nimmt einen Teil der Persönlichkeit des anderen in sich auf. Solche Liebe schließt keinen aus. Sie umfaßt den Menschen auch in seinen Sünden. Daher ist sie ein Abbild der Liebe Gottes und die höchste irdische Liebe. Aus ihr erwächst die Überzeugung vom Dasein Gottes und von der eigenen Unsterblichkeit.

Die Liebe verschönt das Gesicht. Gut 456

Schönheit wird die Welt erlösen. I 588

Wo es keine Liebe gibt, dort gibt es auch keinen Verstand. U 536

Was ist Hölle? Ich denke so für mich: Hölle ist die Reuequal, daß man schon nicht mehr lieben kann. BK 528

Das Bewußtsein unerfüllter Liebe muß schrecklicher sein als alles, und darin eben besteht die Hölle. UD 289

Meine lieben Freunde, habt keine Angst vor dem Leben! Wie schön ist das Leben, wenn man etwas Gutes und Richtiges tut! BK 1274

Ich brauche keinen klugen Rat, sondern einen von Herzen kommenden, einen aufrichtig brüderlichen, einen, der so ist, wissen Sie, als hätten Sie mich schon ein Leben lang lieb. HN 796

Ich weiß, wieviel Dank ich Ihnen schuldig bin!" [schreibt Makar Djewuschkin seiner Freundin Warwara Alexejewna.] „Als ich Sie kennenlernte, begann ich vor allem, auch mich selbst besser kennenzulernen, und begann, Sie zu lieben. Bis dahin aber war ich immer einsam gewesen und hatte mein Leben gleichsam im Schlaf gelebt und gar nicht wirklich auf der Erde. Die bösen Menschen aber, die sagten, daß meine Erscheinung einfach ruppig sei, und die sich schämten, mit mir zu gehen, brachten mich so weit, daß auch ich mich schließlich ruppig fand und mich meiner selbst zu schämen begann. Sie sagten, ich sei stumpfsinnig, und ich dachte auch wirklich, daß ich stumpfsinnig sei. Seitdem Sie aber in mein Leben getreten sind, haben Sie es mir hell gemacht, so daß es in meinem Herzen wie in meiner Seele licht geworden ist, und ich seelischen Frieden fand und erfuhr, daß auch ich nicht schlechter war als die anderen." AL 142

Die erste eheliche Liebe, die vergeht natürlich mit der Zeit, aber dann kommt ja wieder eine andere, eine ebenso schöne Liebe. Dann nähern sich die Seelen. U 537

Welcher Dritte kann das Verhältnis zweier Liebenden zueinander ganz genau beurteilen? J 557

Wen man am meisten liebt, den kränkt man am ehesten. J 536

Wenn man liebt, gedenkt man der Kränkung nicht lange. HN 832

In der abstrakten Liebe zur Menschheit liebt man fast immer nur sich selbst. I 695

Sie lieben die Menschheit und verachten den einzelnen Unglücklichen. GB 466

Die Liebe ist eine große Lehrerin, aber man muß es von sich aus verstehen, um sie zu ringen. Das aber ist schwer und mühsam, denn sie ist nur teuer zu erkaufen, mit vielen Mühen und erst nach langer Zeit. Denn es geht ja nicht um die Liebe eines flüchtigen Augenblicks, sondern um die unentwegte Liebe für die ganze Spanne deines Lebens.

Zufällig und vorübergehend kann ja jeder lieben, selbst ein Bösewicht. BK 523

Die werktätige Liebe ist im Vergleich zur schwärmerischen Liebe etwas Grausames und Abschreckendes. Die schwärmerische Liebe lechzt nach einer schnellen Heldentat, die man in kurzer Zeit vollbringen kann, und zwar unbedingt so, daß alle sie beachten. Dabei kommt es tatsächlich so weit, daß man bereit ist, das Leben hinzugeben, wenn es nur nicht lange dauert, sondern schnell vollbracht ist wie auf der Bühne und alle es sehen und loben. Die werktätige Liebe dagegen, das ist Arbeit und Ausdauer, für einige sogar eine ganze Wissenschaft. BK 94

Die Pflicht, unbedingt wenigstens einen Menschen in seinem Leben glücklich zu machen, und zwar praktisch, das heißt: in Wirklichkeit, würde ich für jeden entwickelten Menschen einfach zum Gebot erheben. J 724

Christus sagt: „Gehe hin und verteile deine Habe und werde zum Diener aller." Und so du selbiges tust, wirst du um unzähligemal reicher sein, als du warst; denn nicht durch Brot, nicht durch kostbare Kleider, nicht durch Stolz und Neid wirst du glücklich, sondern durch unermeßlich gesteigerte Liebe. Nicht geringwertigen Reichtum erwirbst du so, nicht etliche Hunderttausend, nicht eine Million, sondern du erwirbst dir die ganze Welt! J 592

Bemühen Sie sich, Ihre Nächsten tätig und unermüdlich zu lieben. In dem Maß, wie Sie in der Liebe fortschreiten, werden Sie sich auch vom Dasein Gottes und von der Unsterblichkeit Ihrer Seele überzeugen. Wenn Sie aber in Ihrer Liebe zum Nächsten bis zur vollen Selbstverleugnung gekommen sind, dann werden Sie auch den vollen Glauben errungen haben, und dann wird sich kein Zweifel mehr in ihre Seele einschleichen können. Das ist eine alterprobte Wahrheit. BK 91

Das Paradies wird sich nie verwirklichen (das sehe ich doch selbst ein!) – gut, aber ich werde dennoch verkünden. Und dabei, wie einfach wäre es: in einem Tage, *in einer einzigen Stunde* – könnte sich alles verwirklichen: Die Hauptsache: Liebe die anderen wie dich selbst! – das ist das Wichtigste und das ist alles, weiter ist so gut wie nichts mehr nötig: sofort wirst du wissen, wie du leben sollst. Und dabei ist das ja doch nur eine – alte Wahrheit, die aber- und abertausendmal wiederholt und gelesen worden ist, und doch hat sie sich nirgendwo eingelebt! Tr 745 f

Vor manch einem Gedanken bleibt man in Ratlosigkeit stehen, namentlich beim Anblick der Sünden des Menschen, und man fragt sich: „Soll man es mit Gewalt anfassen oder mit demütiger Liebe?" Entscheide dich immer so: „Ich will es mit demütiger Liebe versuchen." Hast du dich ein für allemal dafür entschieden, dann wirst du auch imstande sein, die ganze Welt zu besiegen. Liebevolle Demut ist eine gewaltige Macht, die stärkste von allen, und es gibt keine andere, die ihr gleichkäme.

BK 523

Liebt den Menschen auch in seiner Sünde, denn nur eine solche Liebe wäre ein Abbild der Liebe Gottes und die höchste irdische Liebe. BK 522

Jetzt habe ich ihre ganze Seele in meine Seele aufgenommen und bin durch sie zum Menschen geworden. BK 966

Was wissen Sie, Bachmutoff, welche Bedeutung diese Aufnahme des einen Menschen in die Seele des andern im Schicksal dieses Menschen haben kann? ... Hierbei ist ja das ganze Leben mit seinen zahllosen uns verborgenen Verzweigungen mit im Spiel. Der beste, scharfsinnigste Schachspieler kann nur einige kleine Züge voraussehen; von einem französischen Schachspieler, der zehn Schachzüge vorausberechnen konnte, berichtete man wie von einem Weltwunder. Wieviele Schachzüge des Lebens aber sind uns denn bekannt? Und wieviel ist unbekannt! Indem Sie ihr Samenkorn oder Ihr Almosen ausstreuen, Ihre Tat vollbringen, geben Sie, in welcher Form es auch sei, einen Teil Ihrer Persönlichkeit hin und nehmen einen Teil der anderen Persönlichkeit in sich auf; in dieser Wechselbeziehung stehen Sie beide zueinander. Schenken Sie dieser Tatsache nur ein wenig Ihre Aufmerksamkeit, und Sie werden durch die unerwartetsten Entdeckungen belohnt werden [...] Andererseits können alle Ihre Gedanken, alle die Samenkörner, die Sie ausgestreut haben und die von Ihnen selbst vielleicht schon vergessen worden sind, sich verkörpern und heranwachsen; wer sie von Ihnen empfangen hat, wird sie einem anderen weitergeben. Und woher können Sie wissen, welchen Anteil Sie an der zukünftigen Gestaltung der Geschicke des Menschengeschlechts haben werden? I 620 f

Raskolnikoff lag die halbe Fastenzeit und die ganze Osterwoche im Krankenhaus. Schon während der Genesung begann er sich seiner Träume zu erinnern, die er im Fieber phantasierend gehabt hatte. Ihm träumte in der Krankheit, daß die ganze Welt dazu verurteilt war, einer schrecklichen, unerhörten und nie dagewesenen Pestilenz, die aus den Tiefen Asiens über Europa kam, zum Opfer zu fallen. Alle sollten zugrunde gehen, außer einigen sehr wenigen Auserwählten [...] Das waren die Reinen und Auserwählten, denen bestimmt war, ein neues Menschengeschlecht und ein neues Leben zu begründen, die Erde zu erneuern und zu säubern; aber niemand hatte diese Menschen irgendwo gesehen, niemand hatte ihr Wort und ihre Stimme gehört. RR 735 f

2. Mitleiden ist notwendiger als Arznei

Das Mitleiden ist ein Grundzug in Dostojewskijs Leben und Werk. Aus ihm erwuchs seine Fähigkeit, „alle Tiefen der Menschenseele" zu ergründen. Es war ein Mitleid mit den Leidenden aller Art, den vom Schicksal Vernachlässigten, den Unglücklichen, Kranken und Armen. Gegen jedermann hatte er eine ungewöhnliche Nachsicht. Nie trug er Beleidigungen nach.

Was aber versteht Dostojewskij unter Mitleiden? Es ist die Kraft, den Mitmenschen in seiner konkreten Situation so intensiv wie sich selbst zu erleben und zu lieben; sein Du in das eigene Ich aufzunehmen und ihm darin Heimat und Geborgenheit zu geben. In seinem dichterischen Werk sind es gerade die „Lichtgestalten", die solches zu tun vermögen: der Fürst Myschkin, der Dostojewskijs Lieblingskind war; Alexei Karamasoff, der mitlebend und mitleidend das Dasein seines verkommenen Vaters und das seiner beiden Brüder, „des kalten Frevlers Iwan und des heißen Sünders Mitja" (Z. Maurina) teilt; Ssonja Marmeladowa, die in vollkommener Selbstaufopferung mit Rodion Raskolnikoff den Kreuzweg in ein sibirisches Straflager geht; der Priestermönch Sossima, der in den Gesichtern der Menschen wie in einem offenen Buch zu lesen versteht; der Pilger Makar Dolgorukij, der trotz seines unheilbar verwundeten Herzens verzeiht und keine Spur von Verbitterung zeigt. An diesen unverwechselbaren Gestalten leuchtet auf, was Dostojewskij in sein Notizbuch geschrieben hatte: „Mitleiden, das ist das ganze Christentum."

Es gibt nichts Unerträglicheres, als wenn ein Mensch schon unglücklich ist und ihm dann hundert Freunde sofort noch erklären, wie dumm er gehandelt hat. D 635

In jedem Unglück eines anderen liegt immer etwas, woran ein fremdes Auge sich ergötzt – und das ist sogar bei jedem Menschen der Fall, wer er auch sei. D 454

Wer in seinem Leben ein widriges Geschick erfahren und in gewissen Augenblicken die ganze Bitternis seines Schicksals ausgekostet hat, weiß, wie wohltuend es ist, unter solchen Umständen ganz unerwartet einer brüderlichen Teilnahme zu begegnen. GB 106

Nächstenliebe, Freundlichkeit, brüderliches Mitleid mit dem Leidenden ist für diesen oft viel notwendiger als alle Arzneien. T 268

Es müßte doch so sein, daß jeder Mensch irgendwo hingehen könnte. Denn es kommen Zeiten, wo man sich unbedingt an irgend jemand wenden muß [...] Es müßte doch so sein, daß jeder Mensch wenigstens eine Stelle hätte, wo man auch mit ihm Mitleid hätte. RR 22 23

[Raskolnikoff gesteht Ssonja seine Untat. Er vermag es, weil er sich von ihr geliebt weiß:]

Was haben Sie sich angetan!" jammerte sie verzweifelt, sprang von den Knien auf, warf sich ihm an den Hals, umarmte ihn und preßte ihn mit aller Kraft an sich. Raskolnikoff wich zurück und blickte sie mit einem traurigen Lächeln an. „Wie sonderbar du bist, Ssonja – du umarmst und küßt mich, nachdem ich dir dieses gesagt habe. Du bist nicht bei Sinnen."
„Nein, es gibt jetzt niemand auf der ganzen Welt, der unglücklicher ist als du!" rief sie außer sich, ohne seine Bemerkung gehört zu haben, und sie schluchzte laut auf und weinte wie im Krampf.
Ein ihm seit langem unbekanntes Gefühl überflutete seine Seele wie eine Welle und machte sie mit einemmal weich ... „Du wirst mich also nicht verlassen, Ssonja?" sagte er, sie fast mit Hoffnung anblickend. „Nein, nein; nie und nimmer! [...] Ich werde dir überallhin folgen [...] Auch ins Zuchthaus werde ich mit dir gehen!" RR 552 f

3. Im Leid sieht man die Wahrheit klarer

Bereits an früherer Stelle wurde darauf hingewiesen, welche Qualen das Leid der Schutzlosen und vor allem der Kinder in Dostojewskij verursachte. Es war für ihn eine stete Anklage gegen Gott. Andererseits weist Dostojewskij, dessen Leben nichts anderes als eine Schmerzensstraße war, in den „Aufzeichnungen aus dem Untergrund" darauf hin, daß „das Leid der einzige Ursprung des Bewußtseins ist". Nicht durch Komfort und Sicherheit, sondern durch Leid findet der Mensch zu sich selbst. Das Leid meißelt die Persönlichkeit heraus. Es reinigt den Menschen von dem, was morsch an ihm ist. Es läßt uns die Wahrheit deutlicher erkennen. Es macht den Leichtsinnigen still und standhaft und die Dummköpfe klug. Es prüft uns und läßt uns den wahren Weg finden, auf dem wir „zu den Gesetzen der Natur und der Pflicht" zurückkehren können. Es verwandelt den Menschen und läßt ihn das Unglück anderer besser nachfühlen. Es bringt ihn näher zu Gott, der ihn auf unerforschlichen Wegen zum Heil führt. Daher ist das Leid für jede umfassende Erkenntnis und jedes tiefe Herz nicht nur unausweichlich, sondern notwendig; denn allein aus ihm erwächst das wahre Leben, das zum Glück gelangt. „Durch Leiden wird das Glück erkauft." Das ist die Hauptidee im Roman „Rodion Raskolnikoff".

Jedes Unangenehme hat auch sein Gutes. 1733

Unglück ist vielleicht die Mutter der Tugend.
Gut 465

Tränen reinigen das Herz. OT 175

Im Unglück sieht man die Wahrheit klarer. GB 86

Leiden und Schmerz sind immer die Voraussetzung umfassender Erkenntnis und eines tiefen Herzens. Mir scheint, wahrhaft große Menschen müssen auf Erden eine große Trauer empfinden.
RR 354

Begreifst du denn nicht, daß der Mensch außer dem Glück genau so und in genau demselben Maße auch Unglück braucht! D 295

Fremdes Leid macht nicht gescheit. BK 505

Wenn wir selbst unglücklich sind, dann können wir das Unglück anderer besser nachfühlen, und das Gefühl zerstreut sich nicht so, sondern sammelt sich. HN 811

Im Wohlbehagen, im Reichtum hätten Sie vielleicht nie etwas vom menschlichen Elend gesehen. Wen Gott sehr liebt, von wem er vieles erwartet, dem sendet er viel Unglück, damit er an sich selbst möglichst viel erfahre und erkenne; denn wer im Unglück ist, der sieht auch mehr des Leides bei den Menschen als jener, der im Glück ist ... Aber aus dem Schmerz erwächst manchmal auch ein höheres Glück. RT 104

Ein *wirkliches,* unbestreitbares Leid ist imstande, selbst einen phänomenal leichtsinnigen Menschen manchmal still und standhaft zu machen, sei es auch nur, nun ja, auch nur auf kurze Zeit; ja, noch mehr als das: wirkliches, echtes Leid hat manchmal sogar Dummköpfe klug gemacht. Selbstverständlich gleichfalls nur für einige Zeit; das ist nun einmal so eine Eigenschaft des Leids. D 274

[Dmítrij Karamasoff, zu Unrecht des Vatermordes angeklagt, vor seiner Abführung:]

Jetzt begreife ich, daß für solche Menschen wie mich ein Schlag nötig ist, ein Schicksalsschlag, damit sie wie mit einer Wurfschlinge gefangen und von einer äußeren Kraft bezwungen werden. Niemals, niemals hätte ich mich aus eigener Kraft erhoben! Nun aber hat der Donner gegrollt, und der Blitz hat mich getroffen [...] Ich will leiden, und ich will mich durch das Leid läutern! BK 825

[Dmítrij zu Aljoscha im Gefängnis:]

Aljoscha, ich habe in diesen zwei letzten Monaten einen neuen Menschen in mir entdeckt, ein neuer Mensch ist in mir auferstanden! Dieser Mensch war immer in mir verborgen, aber es wäre mir nie zum Bewußtsein gekommen, daß ich ihn in mir trug, wenn Gott nicht dieses Gewitter geschickt hätte. Unheimlich ist das Leben [...] Ich fürchte, daß mich der soeben erst in mir auferstandene Mensch wieder verlassen könnte." BK 960

Tiefes Leid schweigt und verbirgt sich. H 847

Es gibt im Volk stummes und vielgeduldiges Leid: es zieht sich in sich selbst zurück und schweigt. Aber es gibt auch anderes Leid: das bricht einmal in Tränen aus, und von dem Augenblick an geht es in Klage oder Gebet über. Dies kommt besonders bei Frauen vor. Doch ist es nicht leichter als das schweigende Leid. Die Klage lindert nur dadurch das Leid, daß sie das Herz zerreißt. Solch ein Leid verlangt nicht einmal nach Trost, es nährt sich vom Gefühl seiner Unstillbarkeit, seiner Trostlosigkeit. Die Klage aber ist nur das Bedürfnis, die schmerzende Wunde immer wieder zu berühren.

BK 78 f

Auch Hiob, der vielfach Geprüfte, fand Trost, wenn er seine neuen Kinder sah. Doch ob er darüber auch seine früheren Kinder vergaß und vergessen konnte? – Unmöglich ist dies! Nur daß sich im Lauf der Jahre die Trauer mit der Freude vermischt und sich in ein leichtes Seufzen verwandelt. So ist es auf Erden: jede Seele wird geprüft und wird auch getröstet. J 630

Es gibt kein Glück im Wohlstand, durch Leiden wird das Glück erkauft. – Der Mensch wird nicht zum Glück geboren. Der Mensch verdient sich sein Glück immer nur durch Leiden. Darin liegt keinerlei Ungerechtigkeit, denn das lebendige Wissen und Bewußtsein, das unmittelbar durch Leib und Seele, durch den ganzen Lebensprozeß empfunden wird, kann man nur durch das Pro und Contra erwerben, das man auf sich nehmen muß. RT 105

Gerade das Leiden – das eben ist ja das Leben.
BK 1049

Suche im Leid das Glück. BK 126

4. Die Menschen sind zum Glück geschaffen

Dieses Wort aus den „Brüdern Karamasoff" ist vielleicht die kürzeste Formel, auf die Dostojewskij sein Verständnis vom Menschen bringt. Wo aber liegt dieses Glück verborgen? Nicht in den äußeren Lebensumständen, sondern in der Vortrefflichkeit des Herzens. Sie verleiht dem Menschen innere Schönheit, geistige Ausgeglichenheit und eine heitere Auffassung vom Leben. Weil also das Glück ein Zug des Charakters ist, verrät es – wie das Lachen – mehr als alles andere den inneren Zustand eines Menschen.

Auf die Frage, wie man zu solchem Glück, ohne das kein Mensch leben kann, gelangt, antwortet Dostojewskij: Nur durch ein Leben in der Tugend. Das bedeutet: Um glücklich zu sein, muß der Mensch das Gebot Gottes er-

füllen, das ihn aufruft, andere glücklich zu machen. Damit ist das Glück des anderen das Fundament des eigenen Glücks. Von hier aus beantwortet sich denn auch die Frage, ob ein Mensch sein Glück auf dem Unglück eines anderen aufbauen kann.
Das Leben in der Tugend ist jedoch nicht nur der Weg zum Glück auf Erden. Es stärkt zugleich den Glauben, daß es über allen dunklen und schweren Wolken, die das menschliche Dasein überdecken können, eine Sonne gibt, die niemals untergeht. Aufgrund dieses Glaubens kann der Mensch selbst die härtesten Schicksalsschläge ertragen, ohne die Hoffnung zu verlieren; er kann sich zu diesem Licht vollends hindurchringen, um in ihm sein höchstes Glück zu erleben.

Die Fröhlichkeit des Menschen ist der Zug, der mehr als alles andere den Menschen verrät. Mancher Charakter ist lange nicht zu verstehen, aber da braucht der Mensch nur einmal aus ganzem Herzen zu lachen, und sein Charakter liegt offen vor einem, wie auf der Handfläche. J 542

Das Lachen ist die sicherste Probe auf einen Menschen. Man beobachte einmal ein Kind: nur Kinder verstehen es, vollkommen arglos zu lachen – deshalb sind sie auch so bezaubernd. J 543

Das Lachen verlangt vor allen Dingen Aufrichtigkeit, aber wo findet man in den Menschen Aufrichtigkeit? Das Lachen verlangt Arglosigkeit, die Menschen lachen aber am häufigsten boshaft. Ein aufrichtiges und argloses Lachen ist Fröhlichkeit, wo aber findet man in den Menschen von heute Fröhlichkeit, und verstehen sie überhaupt, fröhlich zu sein? J 542

Ich glaube, daß das Glück nur in der heiteren Auffassung des Lebens und in der Vortrefflichkeit des Herzens und nicht in den äußeren Umständen liegt. GB 107

Ist es überhaupt möglich, unglücklich zu sein? Was bedeutet mein Kummer, was hat mein Leid auf sich, wenn ich imstande bin, glücklich zu sein? Wissen Sie, ich verstehe nicht, wie man an einem Baum vorübergehen kann und nicht beglückt sein, daß man ihn sieht? Wie mit einem Menschen sprechen und nicht glücklich sein, daß man ihn liebt! Oh, ich verstehe es nur nicht auszudrücken ... aber wie viele Dinge begegnen einem auf Schritt und Tritt, die so schön sind, daß selbst ein Mensch, der sich schon ganz verloren hat, sie als schön empfindet? Sehen Sie ein Kind an, schauen Sie Gottes Morgenrot, betrachten Sie einen Grashalm, wie er wächst, schauen Sie in die Augen, die Sie ansehen und Sie lieben. I 845

Nur ein Mensch von höchster und glücklichster geistiger Ausgeglichenheit versteht es, auf eine Weise fröhlich zu sein, die ansteckend wirkt, das heißt, unwiderstehlich und gutmütig. Ich spreche nicht von seiner intellektuellen Entwicklung, sondern von seinem Charakter, vom ganzen Menschen. J 542

Wie doch Freude und Glück einen Menschen schön machen! Wie atmet im Herzen die Liebe! Es ist, als wolle man sein ganzes Herz in ein anderes Herz überströmen lassen; man will, daß alles froh sei, daß alles lache! Und wie ansteckend ist diese Freude! HN 810

Zum Glück sind die Menschen geschaffen, und wer vollkommen glücklich ist, der ist gewürdigt, sich selbst sagen zu dürfen: ‚Ich habe das Gebot Gottes auf dieser Erde erfüllt.' Alle Gerechten, alle

Heiligen, alle heiligen Märtyrer sind glücklich gewesen. BK 89

Es gibt kein größeres Glück, als sich zu opfern.
D 93

Glück ist nur in der Tugend enthalten. Gut 436

Zur Freude auferstehen, zur Freude, ohne die es dem Menschen unmöglich ist zu leben, ebenso wie Gott ohne sie nicht sein kann, denn Gott gibt die Freude, das ist sein großes Privilegium. BK 961

Kann ein Mensch sein Glück auf dem Unglück eines anderen aufbauen? [...] Nehmen wir an, daß Sie den Bau der Geschicke des Menschengeschlechts aufzuführen hätten, mit dem Ziel, die Menschen zu beglücken, ihnen zum Schluß Frieden und Ruhe zu geben. Nehmen Sie an, zu dem Zweck wäre es unbedingt erforderlich, im ganzen nur ein einziges menschliches Wesen zu Tode zu quälen [...] Würden Sie da wohl einwilligen, der Baumeister dieses Gebäudes unter dieser einen Bedingung zu sein? Das ist die Frage. P 494; BK 399 f

[Dmitrij, zu Unrecht des Vatermordes angeklagt, sagt seinem Bruder Aljoscha im Gefängnis:]

Du glaubst nicht, Alexei, wie ich jetzt leben möchte, wie ich lechze nach Leben und Erkennen, welch ein Verlangen danach sich gerade hier zwischen diesen nackten Wänden in mir erhoben hat [...] Und was ist denn das Leid? Ich fürchte es nicht, und wenn es auch unermeßlich sein sollte. Jetzt fürchte ich es nicht, früher fürchtete ich es [...] Und wenn ich auch angeschmiedet bin, so lebe ich doch, so sehe ich doch die Sonne, oder wenn ich sie auch nicht sehe, so weiß ich doch, daß sie da ist – das ist schon das ganze Leben.

BK 961 f

[Wenn der Arzt kam, scherzte der sterbenskranke Bruder des Staretz Sossima mit diesem:]

Nun, Herr Doktor, werde ich noch einen ganzen Tag auf der Welt erleben?" – „Nicht nur einen Tag, noch viele Tage werden Sie erleben", antwortete ihm der Arzt, „sogar Monate und Jahre werden Sie noch leben". – „Wozu denn noch Monate und Jahre!" rief er aus. „Wozu da die Tage zählen! Dem Menschen genügt ja ein einziger Tag, um das ganze Glück zu erfahren." BK 471

Kurzbiografie

Der russische Prosadichter Fjodor M. Dostojewskij wurde am 11. November 1821 in Moskau als Sohn eines Militärarztes geboren. Er kannte keine frohe Kindheit. Von 1838–42 studierte er an der Militär-Ingenieurschule in Petersburg. 1844 wandte er sich der Schriftstellerei zu. Sein 1846 erschienenes Erstlingswerk, der Briefroman „Arme Leute", brachte ihm den ersten großen literarischen Erfolg. Wegen seiner Teilnahme an Zusammenkünften des Kreises um den utopischen Sozialisten Petraschewski wurde er 1849 mit mehreren anderen verhaftet und zum Tode verurteilt. Auf dem Hinrichtungsplatz wurde das Todesurteil in vierjährige Zwangsarbeit in Sibirien umgewandelt. Die Erlebnisse dieser Zuchthausjahre hat Dostojewskij später in seinen „Aufzeichnungen aus einem Totenhaus" geschildert. Nach seiner Entlassung wurde er einfacher Soldat. 1857 schloß er mit Maria Dmitrijewna Isajewa die Ehe. Sie verstarb bereits 1864. 1859 kehrte er, innerlich gewandelt, nach Petersburg zurück und bekämpfte als überzeugter Christ den atheistischen Sozialismus. Sein Gesundheitszustand und seine finanzielle Lage ließen oft zu wünschen übrig. 1864 erschienen die „Aufzeichnungen aus dem Untergrund", die für die innere Entwicklung Dostojewskijs bedeutsam sind. Gemeinsam mit seinem Bruder gab er 1861–65 die Zeitschriften „Die Zeit" und „Die Epoche" heraus. Mehrmals hielt er sich im Ausland auf. Mit seinem ersten großen Roman,

„Rodion Raskolnikoff" (1866) gelangte er zur Berühmtheit. 1867 heiratete er Anna Grigorjewna Snitkina. Die Höhe seines Könnens und seines Ruhmes erreichte er mit seinen Romanen „Der Idiot" (1868/69), „Die Dämonen" (1871/72), „Der Jüngling" (1875) und mit seiner bedeutendsten Schöpfung „Die Brüder Karamasoff" (1879/80). 1872–81 veröffentlichte er das „Tagebuch eines Schriftstellers". Dostojewskij starb am 9. Februar 1881. Seinem Sarg folgten Zehntausende von Menschen.

Abkürzungen

Die vorausgegangenen Zitate sind in der Regel entnommen: F. M. Dostojewskij, Sämtliche Werke in zehn Bänden, R. Piper & Co Verlag, München-Zürich 1977/1980. Die Stellenangaben beziehen sich auf die Seiten dieser Ausgabe. Die Abkürzungen haben die folgende Bedeutung:

AL	=	Arme Leute (i.Bd.: Der Doppelgänger)
BK	=	Die Brüder Karamasoff
D	=	Die Dämonen
Do	=	Der Doppelgänger
EG	=	Der ewige Gatte (i.Bd.: Der Spieler)
EuB	=	Die Erniedrigten und Beleidigten (i.Bd.: Onkelchens Traum)
Fr	=	Die fremde Frau und der Ehemann unter dem Bett (i.Bd.: Der Doppelgänger)
GB	=	Gesammelte Briefe 1833–1881
Gut	=	Das Gut Stepantschikowo und seine Bewohner (i.Bd.: Onkelchens Traum)
H	=	Ein kleiner Held (i.Bd.: Der Doppelgänger)
HN	=	Helle Nächte (i.Bd.: Der Doppelgänger)
I	=	Der Idiot
J	=	Der Jüngling
JW	=	Ein junges Weib (i.Bd.: Der Doppelgänger)
M	=	Meditationen an der Bahre (in: Der unbekannte Dostojewskij, 1926)
NN	=	Njetotschka Neswanowa (i.Bd.: Aufzeichnungen aus einem Totenhaus)

OT	=	Onkelchens Traum
P	=	Puschkinrede (i.Bd.: Tagebuch eines Schriftstellers)
Po	=	Polsunkoff (i.Bd.: Der Doppelgänger)
Ro	=	Roman in neun Briefen (i.Bd.: Der Doppelgänger)
RR	=	Rodion Raskolnikoff
RT	=	Raskolnikoffs Tagebuch, 1928
S	=	Die Sanfte (i.Bd.: Der Spieler)
SH	=	Ein schwaches Herz (i.Bd.: Der Doppelgänger)
Sp	=	Der Spieler
T	=	Aufzeichnungen aus einem Totenhaus
TB	=	Tagebuch eines Schriftstellers
Tr	=	Traum eines lächerlichen Menschen (i.Bd.: Der Spieler)
U	=	Aufzeichnungen aus dem Untergrund (i.Bd.: Der Spieler)
UD	=	Der unbekannte Dostojewski, 1926
Urgestalt	=	Die Urgestalt der Brüder Karamasoff, 1928
W	=	Winteraufzeichnungen über Sommereindrücke (i.Bd.: Aufzeichnungen aus einem Totenhaus)
WH	=	Weihnacht und Hochzeit (i.Bd.: Der Doppelgänger)

Von Rudolf Stertenbrink, dem Herausgeber dieses Buches, erschien im Verlag Herder:

In Bildern und Beispielen

Exemplarische Texte zur Besinnung und Verkündigung

Band 1: 6. Auflage, 224 Seiten, Paperback.
ISBN 3-451-17527-4
Band 2: 3. Auflage, 256 Seiten, Paperback.
ISBN 3-451-17978-4
Band 3: 256 Seiten, Paperback. ISBN 3-451-19604-2

In diesem Werk bewährt sich die besondere Kunst Rudolf Stertenbrinks, literarische Texte in ihrer menschlichen Aussagekraft zu erschließen. Zahlreiche neuere Schriftsteller (wie z.B. Andres, Anouilh, Bachmann, Beckett, Bergengruen, Bichsel, Brecht, Camus, Claudel, Döblin, Dürrenmatt, Frisch, Gide, Giono, Green, Hemingway, Hesse, Huxley, Kafka) kommen hier exemplarisch zu Wort. Ihre eindrucksvollsten Figuren, Szenen, Sentenzen werden zu Exempeln menschlichen Lebens und zu wesentlichen Impulsen einer christlichen Lebenskunst. „Packende, tiefschürfende Kapitel zu Kernfragen christlichen Lebens mit Beispielen, die in ihrer Eindringlichkeit und Erlebnistiefe beim heutigen Menschen ankommen" (Zeichen der Liebe, Basel).

HERDER FREIBURG · BASEL · WIEN